P9-CMB-841

LE FANTÔME DE LA PLAGE

D'autres livres de R.L. Stine
qui te donneront la

COMMENT TUER UN MONSTRE

CONCENTRÉ DE CERVEAU

LA MAISON DES MORTS

LA MALÉDICTION DE LA MOMIE

LE MUTANT AU SANG VERT

LES ÉPOUVANTAILS DE MINUIT

SANG DE MONSTRE

Chair de poule

LE FANTÔME DE LA PLAGE

R.L. STINE

Éditions SCHOLASTIC

Catalogage avant publication de Bibliothèque et
Archives Canada

Stine, R.L.
Le fantôme de la plage / R.L. Stine; texte français
de Marie-José Lamorlette.

(Chair de poule)
Traduction de : Ghost Beach.
Pour les jeunes de 9 à 12 ans.
ISBN 0-439-96254-4

I. Lamorlette, Marie-José II. Titre. III. Collection :
Stine, R. L. Chair de poule.

PZ23.S85Fane 2004   j813'.54   C2004-903838-9

Copyright © Parachute Press Inc., 1994.
Copyright © Bayard Éditions, 2001, pour le texte français.
Tous droits réservés.

La présente édition publiée en 2004 par les Éditions Scholastic,
175 Hillmount Road, Markham (Ontario) L6C 1Z7.

Il est interdit de reproduire, d'enregistrer ou de diffuser en tout
ou en partie le présent ouvrage, par quelque procédé que ce soit,
électronique, mécanique, photographique, sonore, magnétique ou autre,
sans avoir obtenu au préalable l'autorisation écrite de l'éditeur.
Pour toute information concernant les droits, s'adresser à
Scholastic Inc., 557 Broadway, New York, NY 10012.

5 4 3 2 1   Imprimé au Canada   04 05 06 07

Impossible de me rappeler comment nous
avions atterri dans ce cimetière. Je me souvenais
seulement que le ciel s'était brusquement
assombri... et que nous nous étions retrouvés là.

J'étais avec ma sœur Suzanne. Nous avancions
le long de vieilles pierres tombales craquelées,
moussues et délabrées. C'était l'été, mais un
brouillard gris et humide recouvrait tout et
rendait l'air frisquet. Je frissonnai et resserrai
mon manteau.

— Suzanne, attends! criai-je.

Comme d'habitude, elle marchait loin devant
moi. Elle raffole des cimetières.

— Où es-tu? hurlai-je encore.

En scrutant le brouillard, je finis par
apercevoir sa silhouette, qui s'arrêtait toutes
les trois secondes pour examiner les tombes.
Une croix gisait à mes pieds; j'en déchiffrai

l'inscription : *En mémoire de John, fils de Daniel et de Sarah Knapp, décédé le 25 mars 1766, à l'âge de 12 ans et 22 jours.*

« Curieux, pensai-je. Ce garçon avait à peu près mon âge quand il est mort. J'ai eu douze ans en février; Suzanne en a eu onze le même mois. »

Un vent mordant s'était levé. Je cherchai ma sœur des yeux parmi les tombes, mais l'épais brouillard l'avait de nouveau engloutie.

— Suzanne? Où es-tu?

Sa voix me répondit, lointaine; elle semblait flotter dans les airs.

— Je suis là, Jerry.

— Où?

Je me frayai un chemin à travers les feuillages. Le vent tourbillonnait autour de moi. On ne voyait rien à plus de deux mètres.

Soudain, un long hurlement s'éleva, tout proche.

— Ce doit être un chien, murmurai-je.

J'essayai de me rassurer, mais je ne me sentais pas tranquille.

— Jeeeerry!

La voix de Suzanne me parut distante, à des milliers de kilomètres.

J'avançai encore un peu, puis je pris appui sur une pierre plus haute que les autres, espérant mieux distinguer ce qui m'entourait. Je mis mes mains en porte-voix et l'appelai.

— Tu n'es pas dans la bonne direction, cria ma sœur. Je suis par ici.

— Merci pour la précision, bougonnai-je.

Si seulement j'avais une sœur fanatique de soccer! Par malheur, elle se passionne pour les cimetières. Le vent faisait un drôle de bruit, comme s'il aspirait tout sur son passage. Un tourbillon de feuilles, de poussière et de terre me gifla. Je fermai les yeux. Quand je les rouvris, j'aperçus Suzanne tranquillement penchée sur une petite tombe.

— Il commence à faire nuit, dis-je. Viens! On s'en va!

Je tournai les talons et fis un pas, lorsque soudain quelque chose agrippa ma cheville.

C'était une main. Une main qui sortait de terre près de la tombe.

Je glapis de terreur. Suzanne se mit à hurler, elle aussi, tandis que, d'un violent coup de pied, je parvins à me libérer.

— Fichons le camp d'ici! ordonnai-je.

C'est alors que d'autres mains surgirent du

sol, de tous côtés. Des mains vertes qui faisaient *plop, plop, plop!* Elles s'étiraient pour tenter de nous attraper. J'obliquais sur la gauche, *plop!* Je revenais sur la droite, *plop!*

— Plus vite, Suzanne! Plus vite! lançai-je à ma sœur.

J'entendais ses pas derrière moi, quand tout à coup, elle poussa un cri d'épouvante :

— Jerry! Elles m'ont attrapée!

Je me retournai : deux grandes mains étaient nouées autour de ses chevilles.

— Jerry, je t'en supplie, viens m'aider! Elles ne veulent pas me lâcher!

J'inspirai à fond et me ruai vers elle.

— Accroche-toi à moi.

Je me mis à donner des coups de pied dans les mains, aussi fort que je le pouvais, mais elles ne lâchaient pas prise.

— Je ne peux pas bouger! gémit ma sœur.

Brusquement, la terre se mit à trembler près de mes pieds. Je regardai le sol et vis éclore d'autres mains. J'agrippai la taille de Suzanne.

— Remue-toi! hurlai-je d'un ton frénétique.

— Je ne peux pas!

— Oui, tu peux! Accroche-toi à moi!

À cet instant, je lâchai une plainte sourde :

deux autres mains s'étaient nouées autour de mes chevilles.

Nous étions tous les deux pris au piège.

2

— Jerry! Qu'est-ce que tu as? demanda
Suzanne.

Je clignai des yeux. Ma sœur se tenait près de
moi sur un bout de plage rocailleux. Je regardai
fixement la calme étendue de l'océan qui nous
faisait face et je secouai la tête.

— Ouh! Quelle horreur... J'ai refait le même
cauchemar qu'il y a quelques mois. Ça se passait
dans un cimetière comme celui-là! expliquai-je
en montrant du doigt celui que nous avions
découvert, à la lisière du bois de pins. Dans mon
rêve, des mains vertes sortaient de terre pour
attraper nos chevilles.

— Beurk! fit ma sœur.

Elle repoussa les mèches sombres qui lui
tombaient sur le visage.

Suzanne et moi, nous nous ressemblons
beaucoup : mêmes cheveux châtains, mêmes

taches de rousseur sur le nez, mêmes yeux
noisette. La seule différence : ma sœur a
des fossettes quand elle sourit, pas moi.
Heureusement!

— Peut-être que tu as refait ce rêve parce que
tu n'es pas rassuré, suggéra-t-elle d'un air pensif.
Je veux dire à l'idée de passer un mois entier
loin de la maison...

— C'est possible. Nous ne sommes jamais
partis si longtemps. Mais qu'est-ce qui pourrait
bien nous arriver ici? Brad et Agatha sont
vraiment super.

Brad Sadler était un cousin éloigné. Plus
exactement un très vieux cousin éloigné. Papa
nous avait dit que Brad et sa femme Agatha
étaient déjà vieux quand il était petit! Mais,
malgré leur grand âge, ils étaient restés tous les
deux alertes et pleins d'énergie. Quand ils nous
avaient invités à passer le mois d'août chez eux,
en Nouvelle-Angleterre, dans leur vieille maison
proche de la plage, Suzanne et moi avions
accepté avec enthousiasme.

Nous étions arrivés le matin même par le
train. Brad et Agatha nous attendaient sur le
quai. Ils nous avaient ramenés chez eux en
voiture, à travers les pinèdes. Une fois dans la

maison, nous avions déballé nos affaires et bu de grands bols de soupe de poisson. Agatha avait alors proposé gentiment :

— Si vous alliez jeter un coup d'œil aux alentours? Il y a des tas de choses à découvrir!

Voilà comment nous avions échoué là, histoire d'explorer le coin.

Suzanne attrapa mon bras.

— Hé! Retournons en arrière pour visiter ce petit cimetière! suggéra-t-elle avec fougue.

— Je ne sais pas...

Le cauchemar était encore très présent à mon esprit.

— Viens! Il n'y aura pas de mains vertes, je te le promets. Et je suis sûre que je vais trouver quelques tombes superbes à décalquer.

Ma sœur s'intéresse à une foule de choses bizarres, mais le décalquage des tombes est tout de même l'un de ses passe-temps les plus étranges. Elle pose une feuille de papier de riz sur la pierre et frotte l'inscription avec un crayon spécial, un pastel gras.

— Viens, Jerry! répéta-t-elle. Ne sois pas poule mouillée!

Je la suivis. Le cimetière se trouvait au milieu

d'un petit bois de pins, cerné par un mur de pierres à moitié démoli. Une étroite ouverture permettait d'y accéder. Suzanne commença à inspecter les tombes.

— Wow! Il y a des inscriptions vraiment vieilles! s'exclama-t-elle. Regarde celle-là!

Elle me désigna une petite stèle sur laquelle était gravé un crâne orné d'une paire d'ailes.

— C'est une tête de mort. Plutôt macabre, hein?

Elle lut l'inscription à voix haute :

— *Ci-gît le corps de M. John Sadler, qui a quitté cette vie le 18 mars 1642 dans sa trente-huitième année.*

— Sadler, dis-je. Comme nous. Tu parles d'une coïncidence! Je me demande si nous sommes parents.

J'effectuai quelques rapides calculs.

— Il est mort il y a trois cent cinquante-trois ans. Si c'est un de nos ancêtres, ce serait notre arrière-arrière-arrière-arrière-grand quelque chose.

Suzanne était déjà passée à un autre groupe de tombes.

— En voici une de 1647, et une autre de 1652. Je crois bien que c'est la première fois que je vois des tombes aussi vieilles.

Elle s'accroupit derrière une haute pierre.

Je commençais à avoir ma dose de cimetières.

— Viens, allons nous promener sur la plage, dis-je.

Pas de réponse. Je regardai autour de moi.

— Suzanne? Où es-tu passée?

Je contournai la pierre derrière laquelle elle était un instant plus tôt.

Personne.

Suzanne avait disparu.

3

— Suzanne?

La brise venue de l'océan agitait doucement les branches des pins au-dessus de moi.

— Suzanne, arrête tes blagues, dis-je en avançant de deux ou trois pas. Tu sais que je n'aime pas ça!

La tête de ma sœur surgit de derrière une stèle, à trois mètres environ de l'endroit où j'étais.

— Pourquoi? Tu as peur?

Son sourire éclatant me déplut au plus haut point.

— Moi, peur? Jamais! répliquai-je.

— D'accord, on s'en va, peureux! Mais je te préviens, je reviens demain.

Elle me suivit hors du cimetière et je repris le chemin de la plage.

Soudain, elle s'arrêta.

— Oh, regarde ça! s'exclama-t-elle.

Elle se baissa pour cueillir une minuscule fleur jaune et blanc qui poussait entre deux rochers.

— C'est un œuf-au-plat. Drôle de nom pour une fleur sauvage, hein?

Les fleurs sauvages sont le deuxième passe-temps de Suzanne. Elle adore les chercher et les faire sécher dans son herbier. Je poussai un soupir.

Ma sœur me regarda et fronça les sourcils.

— Qu'est-ce qui ne va pas encore?

— Nous nous arrêtons tout le temps. J'ai envie d'aller à la petite plage. Celle dont Agatha nous a parlé. Nous pourrons nous baigner.

— D'accord, on y va, répondit-elle en levant les yeux au ciel.

Il ne nous fallut pas longtemps pour la trouver. En guise de plage, il y avait en fait une étroite bande de sable, plus gris que jaune. Je regardai en direction de l'eau et aperçus une longue jetée rocheuse qui s'avançait dans l'océan.

— Je me demande à quoi elle sert, dit Suzanne.

— Elle permet de protéger la plage.

J'allais me lancer dans une longue explication

sur l'érosion des rivages, quand Suzanne poussa un cri.

— Hé, Jerry!

Elle me désigna un énorme amoncellement de rochers le long de la plage, juste après la jetée. Tout en haut, sur une plate-forme, s'ouvrait une immense grotte sombre.

— Viens! On va l'explorer! s'écria ma sœur, pleine d'enthousiasme.

— Non, attends!

Je venais de me rappeler ce que maman et papa m'avaient dit ce matin quand nous montions dans le train : « Garde un œil sur Suzanne et empêche-la de se lancer dans n'importe quoi. »

— Ça peut être dangereux, dis-je.

Après tout, je suis le grand frère et je suis censé être le plus raisonnable.

Elle fit une grimace.

— Fiche-moi la paix, bougonna-t-elle en se dirigeant vers la grotte. Nous pouvons au moins aller voir de plus près.

Cette grotte me paraissait impressionnante. Je n'en avais jamais vu d'aussi grande, sauf dans un vieux numéro du magazine *Géo*.

— Je me demande si quelqu'un y habite, lança Suzanne, tout excitée. Tu sais, un vieil ermite ou quelqu'un dans le genre...

Elle mit ses mains en porte-voix et appela :

— Ou-ouuuuu!

Quelquefois, ma sœur est carrément débile. Franchement, si vous étiez un vieil ermite vivant dans une grotte, est-ce que vous répondriez à quelqu'un qui vous appelle en criant « ou-ou »?

Suzanne recommença :

— Ou-ouuuuu!

— Allons-y, dis-je.

Soudain, un long sifflement sourd se fit entendre. Suzanne me regarda, inquiète.

— Qu'est-ce que c'était, à ton avis? chuchota-t-elle. Un hibou?

J'avalai ma salive.

— Je ne crois pas. Les hiboux ne sont réveillés que la nuit.

Le sifflement reprit. Le son était soutenu. On aurait dit qu'il flottait vers nous depuis le fond de la grotte. Suzanne continuait à m'interroger du regard. Qu'est-ce que cela pouvait bien être? Un loup? Un coyote?

— Je parie que Brad et Agatha doivent se demander où nous sommes, murmura ma sœur.

Nous devrions peut-être rentrer.

Je ne pouvais pas être plus d'accord avec elle! Je tournai aussitôt les talons. Tout à coup, j'entendis comme un battement d'ailes qui semblait maintenant venir de derrière la grotte. Je mis une main en visière au-dessus de mes yeux et scrutai le ciel.

— Non!

J'agrippai Suzanne par un bras. Une ombre fondait sur nous. C'était une énorme chauve-souris qui piquait dans notre direction. Ses yeux rouges jetaient des éclairs, ses dents pointues étincelaient et elle sifflait méchamment.

Elle allait nous attaquer.

Je m'aplatis sur le sol en recouvrant ma tête avec mes mains. Suzanne fit la même chose. La chauve-souris descendit si bas que je pus sentir le déplacement d'air provoqué par son vol. Mon cœur tambourinait dans ma poitrine.

— Hé! Elle s'en va! cria Suzanne.

J'observai la chauve-souris et la vis s'élever en spirale dans le ciel. Je la regardai glisser dans les airs, puis plonger brusquement devant nous et tomber en piqué. Elle alla s'écraser sur les rochers tout proches. J'aperçus une aile noire qui battait faiblement dans la brise. Alors, lentement, je me remis debout. Mon cœur allait éclater.

— Qu'est-ce qui l'a fait tomber comme ça? demandai-je d'une voix blanche.

Je voulus m'élancer vers la chauve-souris, mais Suzanne me retint.

— Reste ici. Ces bêtes-là peuvent transmettre la rage, tu sais...

— Je ne veux pas m'approcher à ce point-là, répondis-je. J'aimerais juste jeter un coup d'œil. Je n'ai jamais vu une vraie chauve-souris de près.

Mon passe-temps à moi, si l'on peut dire, serait plutôt la zoologie. J'adore étudier les différentes espèces animales.

— Par ici. Viens voir! lançai-je en me mettant à gravir les rochers lisses et gris.

— Fais attention, Jerry! Si jamais tu attrapais la rage, j'aurais des ennuis!

— Merci bien pour moi! marmonnai-je d'un ton sarcastique.

Je m'arrêtai à un peu plus d'un mètre de la chauve-souris.

— Ça alors! C'est incroyable! m'écriai-je.

Suzanne, qui m'avait rejoint, éclata de rire. Ce n'était pas une chauve-souris, mais un cerf-volant!

Je fixai l'objet, stupéfait. Les deux yeux rouges qui nous avaient paru si menaçants étaient dessinés sur du papier. Les ailes s'étaient déchiquetées en heurtant les rochers. Je me penchai pour examiner les débris.

— Attention, il mord! cria soudain une voix derrière nous.

Surpris, Suzanne et moi fîmes un bond en arrière. Je me retournai et découvris un garçon qui avait à peu près notre âge; il tenait une pelote de ficelle.

— Ha, ha! Très drôle! lâcha sèchement ma sœur.

Le garçon nous décocha un grand sourire, mais ne répondit pas. Je constatai qu'il avait, comme moi, des taches de rousseur sur le nez et des cheveux châtains.

— Vous pouvez sortir, maintenant! cria-t-il en tournant la tête.

Deux autres enfants, une fille qui avait aussi à peu près notre âge et un petit garçon d'environ cinq ans, apparurent derrière des rochers. Le gamin avait des cheveux blonds très clairs, des yeux bleus et les oreilles décollées. La fille était rousse et portait des nattes. Tous les trois avaient les mêmes taches de rousseur sur le nez.

— Salut! Vous êtes de la même famille? demanda Suzanne.

Le plus grand, celui qui était sorti le premier, hocha la tête.

— Oui. Nous sommes tous des Sadler. Je suis

Sam, et voici Louisa et Nic.

— Ça alors! m'exclamai-je. Nous aussi, nous sommes des Sadler!

Je fis les présentations. Sam ne parut pas étonné.

— Les Sadler, ce n'est pas ce qui manque par ici, marmonna-t-il.

Il y eut un long moment d'observation. Ces enfants ne semblaient pas particulièrement sympathiques. Pourtant, à ma grande surprise, Sam me demanda si je voulais faire un concours de ricochets avec lui. J'acceptai bien volontiers et le suivis jusqu'au bord de l'eau.

— Est-ce que vous habitez par ici? demanda Suzanne.

Louisa hocha la tête :

— Oui. Et vous, vous venez d'où?

— Nous habitons Hoboken, dans le New Jersey. Nous sommes en vacances pour un mois chez nos cousins, expliqua Suzanne. Ce sont des Sadler, eux aussi. Ils habitent la petite maison juste après le phare. Est-ce que vous les connaissez?

— Bien sûr, répliqua Louisa sans sourire. Cet endroit est grand comme un mouchoir. Tout le monde se connaît.

Je trouvai un galet lisse et plat et le lançai à la surface de l'eau; il rebondit trois fois. Ce n'était pas mal.

— Et vous ne vous ennuyez pas trop, par ici? m'étonnai-je.

— Non! On cueille des mûres, on joue dans les bois ou sur la plage, répondit Louisa, les yeux fixés sur l'eau. Et vous? Qu'est-ce que vous avez fait, aujourd'hui?

— Rien encore. Nous venons d'arriver. Mais nous avons été attaqués par une chauve-souris géante, dis-je avec une grimace faussement effrayée.

Ils se mirent à rire.

— Moi, je pense aller au cimetière pour relever des empreintes de pierres tombales et ramasser des fleurs pour mon herbier, déclara Suzanne.

— Il y a de très jolis coins fleuris dans le bois, dit Louisa.

Je regardai Sam lancer son galet; il rebondit sept fois. Le garçon se tourna vers moi, tout sourire.

— Question d'entraînement...

— Pas facile de s'entraîner quand on habite dans un appartement! tentai-je de me justifier.

Suzanne désigna la caverne derrière nous.

— Est-ce que vous êtes déjà montés l'explorer?

Nic étouffa un cri. Les visages de Sam et de Louisa se crispèrent de surprise et d'effroi.

— Vous plaisantez? lança Louisa.

— Nous ne nous approchons jamais de cet endroit, déclara Sam d'un ton plus doux, tout en jetant un coup d'œil à sa sœur.

— Jamais? insista Suzanne.

Tous trois secouèrent la tête.

— Pourquoi? s'étonna-t-elle. Qu'est-ce que cette grotte a de si extraordinaire?

J'intervins à mon tour :

— Oui, pourquoi n'allez-vous jamais par là-bas?

Les yeux de Louisa s'élargirent de frayeur.

— Est-ce que vous croyez aux fantômes? demanda-t-elle tout à coup.

— Croire aux fantômes? s'exclama Suzanne.
Sûrement pas!

Je restai silencieux. Je savais bien que
les fantômes n'existaient pas. Mais si tous
les scientifiques se trompaient? Il y a tant
d'histoires de fantômes de par le monde...
C'est peut-être pour cela que j'ai peur, parfois,
quand je me trouve dans des endroits étranges.
Finalement, je pense que j'y crois un peu. Bien
sûr, je ne l'avouerais jamais devant Suzanne.
Elle a un esprit tellement scientifique qu'elle
se moquerait de moi du matin au soir!

Les trois enfants Sadler se serraient les uns
contre les autres.

— Et vous, reprit Suzanne, est-ce que vous y
croyez vraiment?

Louisa s'avança d'un pas. Sam tenta de la
retenir, mais elle repoussa sa main.

— Si vous vous approchez de cette grotte, vous pourriez changer d'avis, dit-elle en plissant les paupières.

— Tu veux dire qu'il y a des fantômes là-dedans? demandai-je. Qu'est-ce qu'ils font? Est-ce qu'ils sortent la nuit?

Louisa allait répondre, mais Sam l'interrompit.

— Nous devons partir maintenant, déclara-t-il en poussant sa sœur et son frère devant lui.

— Eh, attendez! protestai-je. Nous aimerions bien en savoir plus!

Mais ils s'éloignèrent à toute vitesse. Sam, furieux, criait après sa sœur. Je suppose qu'il lui en voulait d'avoir parlé des fantômes. Ils disparurent à l'autre bout de la plage. À ce moment-là, le même sifflement sourd retentit.

Suzanne me regarda.

— C'est le vent, dis-je sans y croire. Si nous interrogions Brad et Agatha au sujet de cette grotte?

— Bonne idée, approuva Suzanne.

Pour une fois, elle n'avait pas l'air trop rassurée. La maison de Brad et Agatha n'est pas tout près de la plage. Elle se dresse toute seule à la lisière du bois de pins, la façade tournée vers le phare.

Je courus jusqu'à la porte et entrai précipitamment. Je jetai un coup d'œil dans le salon : personne. Suzanne me rejoignit.

— Est-ce qu'ils sont ici?

— Je ne crois pas, répondis-je en regardant autour de moi.

Je passai dans la cuisine, petite et étroite. Au-delà se trouvait l'ancien cagibi où je devais dormir. La chambre de Brad et Agatha était en haut, ainsi que celle où ma sœur s'était installée. Elle avait de la chance : un petit escalier extérieur menait de sa pièce au jardin situé derrière la maison.

Suzanne regarda par la fenêtre.

— Ils sont là! cria-t-elle. Dans le jardin!

Je vis Brad courbé sur un plant de tomates. Agatha, elle, étendait du linge. Ils avaient tous les deux les cheveux très blancs, et leurs yeux pâles semblaient fatigués. Ils étaient si frêles, si fragiles... À eux deux, ils ne devaient pas peser plus de soixante kilos.

— Où êtes-vous allés, tous les deux? demanda Agatha en nous voyant arriver.

— Nous avons exploré la plage, répondis-je.

Je m'agenouillai près de Brad. La première

phalange manquait à deux doigts de sa main gauche. Il nous avait expliqué qu'il s'était fait prendre dans un piège à loups quand il était jeune.

— Nous avons trouvé une vieille grotte au milieu des rochers, racontai-je encore. Est-ce que vous la connaissez?

Brad poussa un grognement et continua à chercher des tomates mûres.

— Elle donne en plein sur la plage et la grande jetée de rochers, ajouta Suzanne. On ne peut pas la manquer.

Les doigts d'Agatha frémirent sur la corde.

— Il est presque l'heure de souper, dit-elle, ignorant notre interrogatoire au sujet de la grotte. Si tu venais m'aider, Suzanne?

Ma sœur me jeta un coup d'œil et haussa les épaules. Je me tournai de nouveau vers Brad, prêt à lui poser d'autres questions, mais il me tendit son panier rempli de tomates.

— Porte ceci à Agatha, veux-tu?

— Bien sûr, répondis-je en suivant ma sœur à l'intérieur.

Je posai le panier sur le petit comptoir de la cuisine. Suzanne disposa les couverts sur la table de la salle à dîner et tout le monde s'installa pour manger. Pendant tout le repas, j'écoutai Agatha et Suzanne parler de fleurs des champs pour savoir si la question de la grotte allait resurgir. Mais non! Pas un mot là-dessus! Je commençai à me demander pourquoi nos vieux cousins refusaient d'aborder ce sujet.

Après le souper, Brad prit un jeu de cartes et nous montra comment jouer au whist. C'est un jeu très démodé dont je n'avais jamais entendu parler.

Le vieil homme prit grand plaisir à nous enseigner les règles. Je jouais avec lui, contre Agatha et Suzanne. Chaque fois que je me mélangeais les pédales, ce qui arrivait assez souvent, il pointait son index vers moi en signe d'avertissement; je pense que cela lui évitait d'avoir à parler.

Après la partie, tout le monde alla se coucher. Il était encore tôt, mais je m'en moquais : la journée avait été longue et j'étais heureux de pouvoir me reposer. Le lit avait beau être dur, je m'endormis dès que ma tête toucha l'oreiller.

Le lendemain matin, Suzanne m'entraîna dans les bois pour ramasser des plantes sauvages.

— Qu'est-ce que tu cherches, cette fois? lui demandai-je en écartant du bout du pied des tas de feuilles sèches.

— Des flûtes indiennes, répondit ma sœur. Ça ressemble à des petits os d'un blanc rosé qui pointent hors de la terre. On les appelle aussi plantes-aux-cadavres, parce qu'elles poussent sur les restes d'autres plantes mortes.

— Beurk! C'est dégoûtant, ça!

Ma sœur continua quand même son cours de sciences naturelles.

— Les flûtes indiennes ne poussent que dans des endroits très sombres. Elles ressemblent plus à des champignons qu'à des plantes.

Elle chercha pendant quelques minutes, en faisant des cercles de plus en plus grands.

— Le plus étrange, reprit-elle, c'est qu'en séchant, elles deviennent toutes noires. C'est pour cela que j'ai envie d'en mettre quelques-unes dans mon album.

Je continuai à écarter les feuilles. Je dois reconnaître qu'elle avait réussi à m'accrocher, avec ses histoires. J'adore les bizarreries de la nature.

J'aperçus un grand chêne tombé à terre, à quelques mètres de nous.

— Je crois que je vais chercher par là; il se peut qu'il y ait des flûtes indiennes, puisqu'elles poussent sur les « cadavres ».

Je m'agenouillai près des racines de l'arbre mort, qui ressemblaient à des serpents, et me mis à repousser les feuilles avec soin. Pas de flûtes indiennes en vue; rien que des insectes et des vermisseaux. Vraiment superbes...

Je jetai un coup d'œil à Suzanne; elle ne semblait pas plus chanceuse. Et soudain, sur le côté, je remarquai quelque chose de blanc qui sortait du sol. Je me ruai dans cette direction pour voir ce que c'était.

Une petite plante à la tige très courte sortait de la terre meuble, entourée de feuilles mortes. Je tirai dessus... elle ne vint pas.

Je tirai plus fort : la tige commença à émerger, entraînant avec elle une touffe de terre. Je découvris alors qu'il ne s'agissait pas d'une plante, mais plutôt d'une sorte de racine. Une racine avec des feuilles? Bizarre...

Je tirai encore pour l'extraire du sol. Elle était longue, très longue. Je tirai de nouveau, chaque fois un peu plus fort. Finalement, l'étrange racine céda complètement, soulevant avec elle un gros paquet de terre. Je me penchai sur le trou que j'avais fait... et poussai un cri perçant. Puis, la gorge nouée, je parvins tant bien que mal à articuler :

— Suzanne, viens voir! J'ai trouvé un squelette!

6

— Hein?

Ma sœur accourut et se figea. Elle contempla la « chose » en silence.

Le squelette découvert était couché sur le flanc, chaque os bien à sa place. L'orbite vide, béante dans le crâne gris, semblait nous regarder fixement.

— C'est... c'est un humain? balbutia Suzanne dans un souffle.

— Les humains ont quatre pattes, d'après toi?

Bouche bée, ma sœur regarda mieux.

— Qu'est-ce que c'est, alors?

— Un animal assez grand, répondis-je. Peut-être un cerf.

Je me baissai pour étudier les ossements de près.

— Non, ce n'est pas un cerf. Il n'a pas de sabots.

J'examinai le crâne, qui était assez gros et présentait des incisives aiguisées. À neuf ans, j'avais éprouvé une vraie passion pour les squelettes et j'avais lu à peu près tous les livres qui leur étaient consacrés.

— À mon avis, dis-je, il s'agit d'un chien.

— Un chien? répéta Suzanne. Oh, pauvre petit toutou! As-tu une idée de la façon dont il est mort?

— Peut-être qu'un autre animal l'a attaqué.

Suzanne s'agenouilla près de moi.

— Quel animal pourrait avoir envie de manger un chien?

— Ils sont très riches en protéines, répondis-je en plaisantant.

Elle me donna un coup de coude.

— Je suis sérieuse, Jerry! Quel genre d'animal mange des chiens par ici?

— Peut-être un loup ou un renard?

— Tu ne penses pas qu'un loup ou un renard aurait brisé les os entre ses dents et laissé un peu plus de désordre? Ce squelette est en parfait état.

— Il est peut-être mort de vieillesse, tout simplement. Et quelqu'un a pu l'enterrer ici, sous cette espèce de racine.

— Oui. Peut-être que personne ne l'a attaqué, en fin de compte.

Suzanne retrouvait peu à peu ses couleurs. Nous restions là, accroupis sans bouger, pensant à ce chien. Soudain, le hurlement aigu d'un animal nous fit bondir sur nos pieds. Son cri terrifiant emplissait la forêt et se répercutait d'arbre en arbre.

— Qu... qu'est-ce que c'est? Qui peut pousser un cri aussi horrible? demanda Suzanne d'une petite voix étranglée.

Je plongeai mes yeux dans les siens.

Je n'en savais rien.

Je savais seulement que le cri se rapprochait.

Les hurlements cessèrent aussi abruptement
qu'ils avaient commencé. J'inspectai les
alentours pour m'assurer que nous n'avions
rien à craindre. C'est alors que je les vis.

Sam, Nic et Louisa étaient accroupis derrière
un arbre tout proche, et ils riaient.

Je les fusillai du regard : je venais de
comprendre. C'étaient eux qui avaient poussé
ces cris. Pour qui se prenaient-ils?

Il leur fallut un bon moment pour se calmer.
Comment une blague aussi ridicule pouvait
autant les amuser? Je regardai Suzanne; elle
était rouge de colère et je crois bien que j'étais
écarlate, moi aussi. Quand ils se turent enfin,
je leur fis signe de venir voir le squelette.
Et là, leur joyeuse humeur se transforma en
stupéfaction. Sam ouvrit des yeux grands comme
des soucoupes et Louisa poussa un cri. Nic, le

plus jeune, s'agrippa à la manche de sa sœur en pleurnichant.

Suzanne fouilla les poches de son jean pour trouver un mouchoir, puis se pencha vers le petit garçon.

— Ne t'inquiète pas, dit-elle en lui essuyant les joues. Ce n'est pas le squelette d'un être humain; c'est juste celui d'un chien.

Au lieu de se calmer, les sanglots de Nic redoublèrent. Louisa passa un bras sur ses épaules.

— Chuuut... fit-elle. Ce n'est rien.

Mais Nic semblait inconsolable.

— Je... je sais ce qui est arrivé à ce chien, lâcha-t-il d'une voix saccadée. C'est un fantôme qui l'a tué. Les chiens savent reconnaître les fantômes; chaque fois qu'ils en voient un, ils aboient pour prévenir.

— Nic... intervint Suzanne d'une voix douce. Les fantômes n'existent pas. Ce sont des histoires inventées par des gens, c'est tout.

Sam s'avança en secouant la tête.

— Tu te trompes, dit-il à Suzanne, la fixant entre ses paupières mi-closes. Il y a beaucoup d'animaux morts, dans ces bois. Et tous ont été tués par le fantôme. Il nettoie soigneusement les os avant de les replacer bien en ordre.

— Arrête, Sam, riposta ma sœur. Est-ce que tu cherches vraiment à nous faire croire qu'il y en a un dans les environs?

Sam la contempla fixement, sans répondre.

— Alors? insista Suzanne.

Soudain, l'expression de Sam changea. Ses yeux s'agrandirent sous l'effet de la terreur.

— Attention! Il est là! hurla-t-il. Derrière toi!

Je lâchai un cri strident et attrapai le bras de ma sœur. Puis je compris qu'une fois de plus, j'étais tombé dans le panneau; quand cesserai-je de me laisser prendre aux blagues ridicules de Sam?

— Vous êtes faciles à berner, tous les deux, déclara-t-il dans un grand sourire.

Suzanne plaça ses mains sur ses hanches et fixa le garçon d'un air furibond.

— Si on faisait une trêve, les gars? Ces farces commencent à devenir ennuyeuses.

Tous les yeux étaient fixés sur Sam.

— D'accord pour la trêve, dit-il.

Mais son sourire jusqu'aux oreilles me laissait des doutes sur ses intentions réelles.

— Sam, parle-nous un peu plus de ce fantôme, reprit ma sœur. Tu étais sérieux quand tu disais qu'il a tué le chien, ou c'était encore l'une de tes plaisanteries géniales?

Sam donna un coup de pied dans un tas de
terre.

— Une autre fois, peut-être, marmonna-t-il.

— Pourquoi pas tout de suite? demandai je.

Louisa parut sur le point de dire quelque
chose, mais son frère l'écarta sans ménagements.

— Nic, Louisa, on s'en va! ordonna-t-il.

Il s'enfonça dans le bois d'un pas décidé,
traînant sa sœur derrière lui. Nic s'empressa
de courir pour les rejoindre.

— Au revoir! cria Louisa. À plus tard!

— Tu as vu ça? me lança Suzanne. Ils croient
vraiment qu'il y a un fantôme ici. Et ils n'ont pas
envie d'en parler, apparemment.

J'examinai encore le squelette, couché si
soigneusement et si proprement dans la terre.

Chacun de ses os avait été nettoyé à la
perfection. Nettoyé à la perfection par un
revenant.

Ces mots ne cessaient de me tourner dans
la tête.

Un instant encore, je fixai les dents de
l'animal fichées dans le crâne pâle, puis je
tournai les talons.

— Rentrons à la maison, murmurai-je.

Brad et Agatha étaient assis dans des fauteuils à bascule, à l'ombre d'un arbre de leur jardin. Agatha découpait des pêches dans un grand saladier en bois et Brad la regardait faire.

— Est-ce que vous aimez la tarte aux pêches? nous demanda-t-elle.

Suzanne lui assura que c'était l'une de nos préférées. Agatha sourit.

— Nous la mangerons ce soir. Je ne sais pas si votre père vous l'a dit, mais la tarte aux pêches est ma spécialité. Alors, avez-vous trouvé des flûtes indiennes?

— Pas exactement, répondis-je. Nous avons surtout trouvé le squelette d'un chien.

Les gestes d'Agatha se firent plus rapides; le couteau glissait sur son pouce, les tranches de pêches devenaient moins régulières.

— Mon Dieu... marmonna-t-elle.

— Quel genre d'animal peut s'en prendre à un chien? demanda Suzanne. Est-ce qu'il y a encore des loups ou des coyotes, par ici?

— Je n'en ai jamais vu, intervint Brad d'un ton sec.

— Alors, comment expliquez-vous le squelette? insistai-je. En plus, il est intact et les os sont d'une propreté absolue.

Agatha et Brad échangèrent un regard inquiet.

— Je ne sais pas, déclara Agatha, dont les gestes devenaient de plus en plus saccadés. As-tu une idée, Brad?

Son mari se balança une bonne minute dans son fauteuil.

— Je n'en sais absolument rien, bougonna-t-il enfin.

« Ça, ça va beaucoup m'aider! » pensai-je.

— Nous avons aussi revu Sam, Nic et Louisa, ajoutai-je. Ils ont dit qu'ils vous connaissaient.

— Ouais, répondit Brad. Ce sont des voisins.

— D'après eux, ce serait un fantôme qui aurait tué le chien.

Agatha posa son couteau et s'appuya contre le dossier de son fauteuil avec un petit rire nerveux.

— C'est ce qu'ils vous ont dit? Mon Dieu, mon Dieu... Ces enfants ont voulu vous faire marcher. Ils adorent inventer des histoires de fantômes. Surtout l'aîné, Sam...

— C'est bien ce que je pensais, dit Suzanne en me jetant un coup d'œil.

Agatha hocha la tête.

— Ce sont de gentils enfants. Vous devriez les inviter à jouer avec vous de temps en temps. Vous pourriez aller chercher des bleuets avec eux!

Brad se racla la gorge. Ses yeux pâles m'observaient.

— Vous êtes trop grands pour croire à des histoires de fantômes, n'est-ce pas?

— Oui, je suppose... répondis-je d'une voix incertaine.

Je passai le reste de l'après-midi à désherber le jardin avec Brad. Suzanne nous aida un peu. Ce genre d'exercice ne m'emballait pas vraiment, mais quand il nous apprit à distinguer les bonnes plantes des mauvaises, je pris plaisir à faire la chasse aux mauvaises herbes. Ce soir-là, la tarte aux pêches eut un gros succès. Brad et Agatha nous posèrent une foule de questions sur notre école et sur nos camarades; ils voulaient tout savoir. Après le repas, Brad nous proposa une autre partie de whist. Cette fois, je m'en tirai bien mieux; il ne me menaça de son index que deux ou trois fois.

J'eus beaucoup de mal à m'endormir ce soir-là. La fenêtre de ma petite chambre était voilée par de longs rideaux blancs très légers. Ils ne parvenaient pas à cacher la pleine lune, qui m'éblouissait. J'avais l'impression d'être face à un projecteur.

Je finis par tirer mon drap sur ma tête : c'était beaucoup mieux. Je fermai les yeux, écoutant les criquets qui faisaient un vacarme de tous les diables. Soudain, j'entendis un bruit sourd, comme si quelqu'un avait donné un coup dans le mur extérieur. « Probablement une branche », me dis-je.

Il y eut un autre coup. Une sourde inquiétude commençait à me nouer l'estomac.

Au troisième coup je me dressai en jetant un regard prudent tout autour de moi. Il n'y avait rien.

Je me remis au lit en me tournant vers la fenêtre. Brusquement, mon cœur fit un bond dans ma poitrine : quelque chose venait de bouger derrière les rideaux.

Une chose pâle, fantomatique. Le plancher craqua.

Une silhouette blanche s'approchait de moi.

9

Terrifié, je voulus crier. Impossible! Ma gorge était prise comme dans un étau. Alors, je me cachai sous mon drap et attendis, tremblant comme une feuille. Mais rien ne se produisit.

Où était passé le fantôme?

Je jetai un coup d'œil furtif... et vis ma sœur qui émergeait des rideaux.

— Je t'ai eu, lança-t-elle à mi-voix.

— Espèce d'idiote! Comment as-tu pu me faire une chose pareille?

— Très facilement, se moqua-t-elle avec un grand sourire. Ces histoires de fantômes t'impressionnent, hein?

Je ne répondis pas, me contentant d'un grognement furieux.

Suzanne s'assit sur le bord de mon lit et resserra sa robe de chambre autour de sa taille.

— Je n'ai pas pu résister, déclara-t-elle,

toujours souriante. J'étais juste descendue pour te parler, mais quand je t'ai vu allongé dans ton lit, le drap sur la tête, la tentation a été trop forte.

Je la fusillai du regard.

— J'avais le drap sur la tête parce que je n'arrivais pas à dormir, c'est tout, lançai-je, furieux.

— Moi non plus, dit Suzanne. Mon matelas est plein de trous et de bosses. Et puis je pensais à ce fantôme, ajouta-t-elle en regardant par la fenêtre.

— Hé! Il me semblait que tu n'y croyais pas!

— Je sais. Je ne crois pas du tout aux fantômes. Mais Sam, Louisa et Nic y croient, eux.

— Et alors?

— Alors, je veux savoir pourquoi. Pas toi?

— Pas vraiment. Je me moque pas mal de revoir ces débiles.

Suzanne bâilla.

— Louisa semble gentille. Elle est bien plus aimable que Sam. Je pense qu'on pourrait la faire parler de ce fantôme, si on l'interrogeait à part. Elle a failli tout nous dire aujourd'hui et...

— Je ne les crois pas, coupai-je. Tu as entendu

Agatha : Sam adore inventer des histoires.

— Je ne pense pas qu'il s'agisse d'une blague, cette fois, répondit Suzanne d'un air grave. Je sens qu'il se passe quelque chose de bizarre dans le coin, Jerry. Demain, je leur demanderai plus de détails au sujet du fantôme.

— Comment sais-tu qu'ils seront là?

Suzanne sourit.

— Ils sont toujours là! Tu n'as pas remarqué? Où que nous soyons, ils finissent toujours par se montrer.

Elle marqua une pause.

— Tu crois qu'ils nous suivent?

— J'espère que non!

Ma sœur éclata de rire.

— Ce que tu peux être peureux!

Je repoussai mes couvertures, m'emparai de son bras et le tordis en arrière, puis je me mis à lui chatouiller le dos.

— Retire ce que tu as dit! ordonnai-je.

— D'accord, d'accord, cria-t-elle. Je ne le pensais pas.

— Et tu ne m'appelleras plus comme ça?

— Plus jamais!

Dès que je lâchai son bras, elle courut vers la porte.

— À demain, *peureux*! lança-t-elle avec un sourire.

Puis elle disparut dans la cuisine.

Le lendemain matin, au déjeuner, Agatha nous demanda si nous avions des projets pour la journée.

— Nous avons envie de nous baigner, répondis-je en jetant un coup d'œil à Suzanne. Nous irons en bas, à la plage.

Agatha me tendit un seau en fer-blanc.

— Tiens, vous aurez peut-être aussi envie de ramasser des oursins ou des étoiles de mer, dit-elle.

Quelques minutes plus tard, chargé du seau et de deux serviettes de bain délavées, j'empruntai avec Suzanne le petit chemin tortueux qui descendait vers le rivage.

Pour arriver près de la plage de sable et de la grotte, il nous fallut escalader plein de rochers, puis Suzanne s'arrêta devant un trou d'eau, laissé par la marée à un mètre environ de la côte. Il avait la taille d'une piscine d'enfant.

— Wow, Jerry! s'exclama-t-elle, j'aperçois des tonnes de trucs, là-dedans!

Elle plongea la main dans l'eau visqueuse et

en retira une étoile de mer.

— Oh! Regarde! Elle fait à peine la moitié de ma paume. C'est peut-être un bébé?

À ce moment, Sam, Nic et Louisa arrivèrent, bondissant d'un rocher à l'autre.

Suzanne sourit en les voyant approcher. Je crois bien qu'elle était assez contente de les voir.

— Regardez ce que j'ai trouvé! s'écria-t-elle en montrant sa pêche.

Tout le groupe s'accroupit pour mieux voir.

— Tu ne trouves pas qu'elle a de jolis pieds? demanda Suzanne à Nic, qui répondit par un gloussement.

Il commença alors à nous raconter tout ce qu'il savait sur les étoiles; au bout d'un moment, Louisa dut le faire taire.

— Si on reparlait du fantôme? déclara soudain ma sœur, s'adressant à la petite fille.

— Il n'y a rien à en dire, répondit doucement celle-ci.

Elle lança un regard nerveux à Sam. Lui avait-il recommandé de ne plus en discuter?

— Où est-ce qu'il vit? insista Suzanne. Dans la grotte qui vous fait peur?

Nic sursauta en regardant en direction de la

caverne.

— C'est bien ce que je pensais, déclara Suzanne. Il est dans la grotte.

Elle me sourit triomphalement, tandis que le petit garçon se cachait derrière sa sœur.

Louisa lui caressa les cheveux et se tourna vers nous.

— Le fantôme est très vieux. Personne ne l'a jamais vu sortir.

— Louisa! la réprimanda Sam. Je pense que nous ne devrions pas parler de tout ça.

— Pourquoi? répliqua Louisa. Ils ont bien le droit de savoir.

— Ils ne croient même pas aux fantômes! insista Sam.

— Peut-être que vous pourrez me faire changer d'avis, riposta Suzanne. Vous êtes certains qu'il y a un fantôme? Vous l'avez vu?

— Nous avons vu les squelettes, déclara Louisa d'un ton solennel.

La tête de Nic émergea de derrière la jambe de sa sœur.

— Le fantôme sort les nuits de pleine lune, annonça-t-il.

— Nous n'en sommes pas sûrs, rectifia Louisa. Il a toujours été dans cette grotte. Il y a des gens qui disent qu'il est là-haut depuis trois cents ans.

— Mais si vous ne l'avez pas vu, comment pouvez-vous savoir qu'il est dans cette caverne?

— On peut voir une lumière qui clignote, répondit Sam.

— Une lumière? m'écriai-je. Attends un peu... Cette lumière peut être n'importe quoi! Par exemple : un homme avec une lampe de poche, tout simplement!

— Ce n'est pas ce genre de lumière, murmura Louisa en secouant la tête. C'est autre chose.

Toute cette histoire commençait à m'énerver.

— Écoutez, dis-je. Une lumière qui clignote et un squelette de chien, ce n'est pas assez pour me convaincre. Je pense que vous essayez encore de nous faire peur, comme hier. Mais cette fois, je ne me laisserai pas piéger.

— Pas de problème, marmonna Sam en fronçant les sourcils. Personne ne vous oblige à nous croire.

— Eh bien! je ne vous crois pas, répondis-je.

Sam haussa les épaules.

— Salut! Amusez-vous bien, dit-il doucement.

Puis il entraîna son frère et sa sœur vers le bois. Dès qu'ils furent hors de vue, Suzanne me donna un coup de coude dans les côtes.

— Jerry! Pourquoi as-tu fait ça? Je commençais juste à leur soutirer des informations intéressantes!

Je secouai la tête.

— Tu ne vois pas qu'ils cherchent à nous effrayer? Il n'y a pas de fantôme. C'est encore une de leurs plaisanteries douteuses.

Suzanne me regarda durement.

— Je n'en suis pas si sûre, murmura-t-elle.

Je levai les yeux vers le grand trou noir, béant, de la caverne. Malgré la chaleur qui régnait en cette matinée, un frisson glacé me parcourut le dos. Oui ou non, y avait-il un vieux fantôme là-dedans? Et surtout, avais-je vraiment envie de le savoir?

En rangeant nos affaires, après le souper, Agatha remarqua :

— Jerry, il manque une serviette de bain. N'en avez-vous pas emporté deux, ce matin?

— Nous avons dû la laisser sur la plage, répondit Suzanne.

J'essayai de me souvenir.

— Je ne pense pas. Mais je peux aller voir en vitesse.

— Ne vous inquiétez pas, déclara Agatha. Il

commence à faire nuit; vous irez demain matin.

— Cela ne m'ennuie pas du tout, insistai-je.

Je me ruai dehors avant qu'elle puisse me retenir. J'étais heureux d'avoir un prétexte pour sortir. J'avais envie de prendre l'air. Suzanne est une sœur géniale et nous nous entendons à merveille, mais j'aime être seul de temps en temps.

Je retrouvai l'endroit où nous nous étions installés le matin. Aucune trace de la serviette égarée. Sam l'avait peut-être prise? Il projetait peut-être de la mettre sur sa tête et de nous sauter dessus. Machinalement, je portai mon regard vers la caverne, qui se découpait en noir sur le ciel bleu nuit.

— Hein? m'exclamai-je.

Je clignai des yeux et avançai d'un pas. Était-ce bien une lumière que je voyais scintiller dans la grotte? Ou bien le reflet de la lune qui apparaissait derrière les pins?

Je fis un autre pas. Mais non, ce n'était pas la lune. J'avançai encore un peu. Je ne pouvais pas détacher les yeux de cette lueur vacillante qui brillait dans l'ouverture de la caverne, si pâle, d'une pâleur « surnaturelle ».

« Sam! » me dis-je encore. Oui, c'était

sûrement Sam. Il était certainement là-haut, en train de gratter des allumettes et d'espérer que je tomberais dans le panneau. Devais-je grimper jusque-là?

Je continuais à m'approcher, mes chaussures s'enfonçant dans le sable de la plage. La lumière brillait toujours. Elle semblait planer près de l'entrée et danser lentement.

« Faut-il que je monte? me demandai-je encore. Le faut-il vraiment? »

Oui. Il le fallait.

La lumière se faisait de plus en plus intense.
On aurait dit qu'elle m'appelait. J'inspirai
profondément, puis je commençai à monter.

La caverne se trouvait loin au-dessus de moi,
insérée dans les blocs de pierre. Je prenais garde
à ne pas glisser sur les rochers humides. La
lueur pâle de la lune permettait d'y voir un peu.
Qu'avait dit Nic à propos de la lune, déjà? Que
les fantômes sortaient quand elle était pleine?

Tentant de chasser ces pensées, je continuai à
monter. La lumière surnaturelle flottait toujours
à l'entrée de la grotte.

Soudain, je sentis mes jambes vaciller : le
terrain s'était mis en branle sous mes pieds.
Je dérapai sur des cailloux qui commencèrent
à rouler jusqu'au bas de la pente.

Pris de court, j'attrapai une grosse racine qui

poussait entre les rochers et m'y cramponnai,
le temps de retrouver mon équilibre. Après quoi
je me hissai jusqu'à un gros bloc de pierre et
regardai en direction de la caverne. Elle était
juste au-dessus de ma tête, maintenant. Je
n'avais plus que trois ou quatre mètres à gravir.
Je me redressai et lâchai un cri étouffé.

Qu'est-ce que c'était que ce bruit derrière moi?
Je me figeai, frissonnant de peur, l'oreille aux
aguets. Y avait-il quelqu'un d'autre?

Est-ce que c'était le fantôme?

Je n'eus pas à attendre longtemps. Une main
glacée se noua autour de mon cou.

Je poussai un cri étranglé et me débattis. Les doigts relâchèrent leur prise.

— Chuuut... murmura ma sœur C'est moi!

Cette fois, je lâchai un grognement furieux.

— Espèce d'idiote! Qu'est-ce qui t'a pris, de faire une chose pareille?

— Tu peux parler! Qu'est-ce qui t'a pris, toi, de venir ici?

— Je... je cherche la serviette de bain, balbutiai-je.

Suzanne éclata de rire.

— Ce que tu cherches, c'est le fantôme, Jerry. Avoue-le!

Je levai les yeux vers la caverne.

— Tu vois la lumière? chuchotai-je.

— Hein? Quelle lumière?

— Celle qui flotte dans la caverne! répondis-je avec impatience. Tu n'y vois pas clair, ou quoi?

— Désolée, mais je ne vois rien du tout, répliqua ma sœur.

Je fixai la caverne avec plus d'attention et n'aperçus que le noir le plus complet.

Elle avait raison. La lumière avait disparu.

Allongé dans mon lit, cette nuit-là, je tentai de mettre en pratique ce que M. Hendrickson, mon professeur de sciences, appelle « la réflexion critique ». Cela consiste à faire une liste de ce que l'on sait, récapituler ce que l'on ignore, et tirer une conclusion logique.

Que savais-je donc au juste?

Je savais que j'avais vu une lumière, et que cette lumière s'était éteinte. Quelle pouvait être l'explication de ce phénomène? Une illusion d'optique? Mon imagination? Sam?

Dehors, devant la fenêtre, un chien se mit à aboyer. Curieux, remarquai-je en interrompant ma réflexion. Je n'avais vu aucun chien dans les environs.

Les aboiements se firent plus forts, plus rageurs. On aurait vraiment dit que cela venait de sous ma fenêtre. Et soudain, je me souvins de ce que Nic avait dit : *Les chiens reconnaissent les fantômes.*

Était-ce pour cela que ce chien aboyait avec une telle fureur? Est-ce qu'il avait localisé le fantôme? Je quittai mon lit en frissonnant et gagnai la fenêtre à quatre pattes.

J'examinai les alentours : pas de chien. Je tendis l'oreille : les aboiements s'étaient tus. Des criquets chantaient. Les arbres murmuraient.

— Toutou! appelai-je doucement. Ici, bon chien!

Pas de réponse. Je frissonnai de nouveau. À présent, le silence était complet.

« Qu'est-ce qui se passe par ici? » me demandai-je.

Le soleil matinal n'était encore qu'une boule rouge très basse dans le ciel, et nous nous approchions, ma sœur et moi, du nid de mouettes qu'elle avait repéré la veille. Observer les oiseaux est le passe-temps numéro trois de Suzanne Sadler.

Accroupis, nous regardions de tous nos yeux. À quatre ou cinq mètres de nous, la mère mouette s'efforçait de ramener ses trois petits dans le nid. Elle criait bruyamment et les pourchassait d'abord dans une direction, puis dans une autre.

— Ces bébés sont mignons, hein? chuchota Suzanne. Avec leur duvet gris tout ébouriffé, on dirait des animaux de peluche, tu ne trouves pas?

— Ils me font plutôt penser à des rats!

Suzanne me donna un coup de coude. Après les avoir observés en silence pendant quelques minutes, elle me demanda :

— Si tu me reparlais de ce chien qui aboyait la nuit dernière? Je n'arrive pas à croire que je ne l'ai pas entendu.

— Il n'y a rien d'autre à dire, répondis-je d'un ton crispé. Quand je me suis approché de la fenêtre, il s'est tu.

Au bout de la plage, j'aperçus soudain les enfants Sadler, qui marchaient pieds nus au bord de l'eau. D'un bond je me mis debout.

— Qu'est-ce qu'il y a? cria Suzanne.

— Je veux leur parler de la lumière!

— Attends-moi! glapit ma sœur en descendant tant bien que mal derrière moi.

En m'approchant, je vis que Sam portait deux ou trois vieilles cannes à pêche, et Louisa, un seau plein d'eau.

— Salut! nous lança-t-elle d'un ton chaleureux.

— Vous avez pris quelque chose? demandai-je.

— Non, répondit Sam. Nous n'avons pas encore pêché.

— Qu'y a-t-il dans votre seau, alors?

Nic se glissa entre eux et tira de l'eau un petit poisson argenté.

— Du fretin, dit-il. On s'en sert comme appât.

Je me penchai pour regarder dans le seau. Des dizaines de petits poissons d'argent y grouillaient. Je poussai un sifflement admiratif.

— Vous voulez venir avec nous? demanda Louisa.

J'échangeai un regard avec Suzanne. Voilà peut-être une occasion de parler de la lumière que j'avais aperçue dans la caverne.

— Bien sûr, répondis-je. Pourquoi pas?

Nous longions un sentier sablonneux qui descendait jusqu'à la mer.

— Par ici, en général, ça mord bien, déclara Sam.

Il sortit un petit poisson du seau, cala sa canne à pêche contre sa jambe, accrocha l'appât à l'hameçon avec une adresse d'expert et me tendit le tout. Le pauvre poisson s'agitait désespérément.

— Tu veux essayer? me proposa-t-il.

Je me demandai pourquoi il se montrait aussi

gentil avec moi, tout à coup. Louisa lui avait-elle fait la leçon, ou me préparait-il une autre farce?

— Je veux bien, répondis-je. Qu'est-ce que je dois faire?

Sam me montra comment lancer la ligne. Mon premier essai ne fut pas fantastique : elle atterrit à trente centimètres du bord.

Sam rit et la lança une deuxième fois pour moi.

— Ne t'inquiète pas, dit-il en me rendant la canne. Il faut de la pratique pour arriver à bien lancer.

Ce Sam-là était bien différent du Sam que j'avais vu jusqu'alors. Peut-être lui fallait-il simplement un peu de temps pour se familiariser avec les gens.

— Et maintenant, qu'est-ce que je fais? demandai-je.

— Tu dois continuer à jeter et à ramener, m'expliqua-t-il. Et si tu sens que quelque chose tire, crie.

Sam se tourna vers Suzanne.

— Tu veux essayer aussi?

— Bien sûr! répondit-elle.

Sam s'apprêtait à accrocher l'appât à l'hameçon, mais Suzanne l'arrêta.

— Laisse! dit-elle. Je peux me débrouiller
seule.

Sam recula et céda la place à ma sœur. En
fait, je crois qu'elle bluffait. Je ne l'avais jamais
vue empaler quoi que ce soit de vivant sur
un crochet, et elle détestait tout ce qui était
visqueux.

Suzanne lança sa ligne sans aucune aide.
J'allais encore l'accuser de chercher à se faire
admirer, quand son fil s'emmêla aux branches
au-dessus de nos têtes. Le poisson-appât se
détacha de l'hameçon et tomba dans les cheveux
de ma sœur. Aussitôt, elle poussa un cri strident,
battit des bras et expédia le poisson dans la mer.
Sam s'écroula de rire sur un rocher, et tout le
monde l'imita. Cela semblait être l'occasion
idéale pour aborder le sujet de la caverne.

— Vous savez quoi? lançai-je. La nuit
dernière, je suis descendu à la plage et j'ai vu,
dans la caverne, cette lumière vacillante dont
vous nous aviez parlé.

Le sourire de Sam disparut immédiatement.

— Tu l'as vue?

Les yeux de Louisa s'agrandirent; elle
semblait très inquiète.

— Tu... tu n'es pas entré, n'est-ce pas? Je t'en

prie, dis-moi que non.

— Non, je ne suis pas entré, répondis-je.

— C'est vraiment dangereux, reprit Louisa. Vous ne devez pas essayer de grimper là-haut.

— Oui, vraiment! dit Sam.

Je jetai un coup d'œil à Suzanne et devinai ses pensées : ces trois enfants étaient terrifiés, la caverne les terrorisait.

Pourquoi? Je n'en savais rien.

Je n'étais sûr que d'une chose : il fallait que je résolve ce mystère coûte que coûte.

12

Assis autour de la table ronde de la salle à dîner, nous soupions en silence. Brad s'évertuait à détacher les grains d'un épi de maïs, avec la pointe de son couteau, pour les faire tomber dans son assiette et les manger avec sa fourchette.

— Brad... lançai-je en tripotant nerveusement mes ustensiles. Euh... quelque chose m'intrigue à propos de la grotte.

Suzanne me donna un léger coup de pied sous la table.

— Qu'est-ce qui t'intrigue? demanda-t-il.

— Eh bien... euh... nous avons vu une chose très étrange, déclarai-je d'un ton hésitant.

Agatha se tourna vivement vers moi.

— Vous n'êtes pas entrés dans cette grotte, n'est-ce pas?

— Non, répondis-je.

— Il ne faut pas y aller, insista-t-elle. C'est

un endroit dangereux.

— Justement, c'est de cela que je voulais vous parler, repris-je.

Je m'aperçus que tout le monde avait cessé de manger. Je continuai :

— La nuit dernière, quand je suis descendu chercher la serviette de bain, une lumière bizarre clignotait à l'intérieur de la caverne. Savez-vous ce que cela peut être?

Brad m'observa, les paupières mi-closes.

— Ce n'est qu'une illusion d'optique, déclara-t-il d'un ton bref.

Puis il reprit son épi et se remit à en détacher les grains. Je décidai d'insister.

— Une illusion d'optique? Je ne comprends pas. Que voulez-vous dire?

Patiemment, Brad posa son épi.

— Jerry, as-tu déjà entendu parler des aurores boréales?

— Bien sûr, répondis-je. Mais...

— Cette lumière clignotante n'était rien d'autre que cela, coupa-t-il en terminant son repas.

Je me tournai vers Agatha, dans l'espoir qu'elle ajoute quelque chose. Elle répondit à mon attente.

— Cela se produit à certaines époques de
l'année, expliqua-t-elle. Il y a de l'électricité
dans l'air, et le ciel tout entier est parcouru de
banderoles lumineuses.

Elle s'empara d'un plat et changea de sujet.

— Encore un peu de purée?

— Oui, merci.

De nouveau, je sentis le pied de Suzanne
heurter le mien sous la table. Je la regardai et
secouai la tête. Brad et Agatha se trompaient.
Cela ne pouvait pas être une aurore boréale :
la lumière venait de la grotte, pas du ciel.

Étaient-ils vraiment sincères, ou nous
mentaient-ils délibérément?

Après le souper, j'allai marcher sur la plage
avec Suzanne. Des lambeaux de nuages gris
flottaient devant la pleine lune.

— Ils nous ont menti, dis-je, les main dans
les poches de mon bermuda. Brad et Agatha nous
cachent quelque chose. Ils ne veulent pas que
nous sachions la vérité au sujet de la caverne.

— Ils s'inquiètent, c'est tout, répliqua ma
sœur. Ils ne veulent pas que nous risquions de
nous blesser en montant là-haut. Ils se sentent
responsables, et...

— Suzanne, regarde! m'exclamai-je, le doigt

tendu vers la caverne.

Cette fois-ci, Suzanne vit la lumière, elle
aussi. Elle vacillait à l'entrée de la grotte, tandis
que les nuages couvraient la lune et que le ciel
s'obscurcissait.

— Ce n'est pas une aurore boréale, murmurai-
je. Il y a quelqu'un, là-haut.

— Allons vérifier, chuchota Suzanne.

Sans perdre un instant, nous nous mîmes à
grimper sur les rochers pour nous hisser vers la
grotte. C'était comme si un aimant nous attirait.
Il fallait que nous nous approchions assez près
pour voir ce qui était à l'origine de cette étrange
lumière mouvante.

Derrière nous, les vagues s'écrasaient sur les
rochers les plus bas et leur écume bondissait
dans toutes les directions. Nous étions presque
au niveau de l'entrée de la grotte; la plage
était loin au-dessous de nous. Et tout près,
maintenant, la lumière vacillait toujours, comme
suspendue dans les airs.

Soudain, au moment où nous atteignions les
derniers rochers, elle disparut mystérieusement.
La grotte nous dominait, obscure.

Plissant les paupières pour essayer de
distinguer quelque chose, je crus voir une sorte

de tunnel qui partait sur le côté. J'avançai d'un pas. Suzanne se colla à moi. Elle avait peur.

— Alors? murmura-t-elle dans un souffle.

— Allons-y, répondis-je.

13

Mon cœur battait très fort pendant que nous nous enfoncions dans les ténèbres. Nos chaussures glissaient sur le sol humide et lisse de la caverne.

Une forte odeur de moisi me prit à la gorge, m'empêchant presque de respirer.

— Hé! criai-je quand Suzanne attrapa mon bras.

— Regarde! La lumière!

Elle vacillait de nouveau au fond de la grotte. Serrés l'un contre l'autre, nous nous dirigeâmes dans sa direction. L'air se faisait plus chaud, plus âcre.

— C'est... c'est un tunnel, bégayai-je.

La grotte devenait étroite. Elle décrivait une sorte de courbe. La lueur venait d'un point situé après le tournant.

—Allons juste un peu plus loin, chuchotai-je.

Suzanne hésita.

— Ce tunnel me donne la chair de poule, avoua-t-elle.

— Moi aussi, mais puisque nous sommes venus jusqu'ici, autant continuer!

À ce moment précis, je crus entendre un bruit doux, une sorte de frôlement. Suzanne n'avait rien remarqué. Je serrai sa main pour me donner du courage. Guidés par la lumière, nous avancions prudemment dans le tunnel. Non loin de nous, nous pouvions entendre le bruit régulier de gouttes d'eau tombant sur le sol. Il faisait de plus en plus chaud; l'air semblait saturé de vapeur.

Soudain, le tunnel s'élargit brusquement en une salle circulaire, très profonde. J'entendis plus distinctement un frôlement assourdi qui ressemblait à un battement d'ailes. Il devenait de plus en plus fort.

— Qu'est-ce que c'est? demanda Suzanne.

Sa voix aiguë résonna contre les parois de la grotte. Avant que j'aie pu répondre, le frôlement s'amplifia en un horrible grondement. Je ne pus m'empêcher de crier, mais ma voix fut couverte par le vacarme assourdissant.

Je levai les yeux, juste à temps pour voir le

plafond noir de la caverne se fissurer et nous tomber dessus.

— Noooon!

Je m'effondrai sur le sol de la grotte en me protégeant la tête de mes mains. J'attendais le choc final qui allait m'écraser.

Une espèce de cliquetis tourbillonna au-dessus de moi, puis un sifflement très aigu s'éleva, dominant l'autre son.

Le cœur battant, je levai les yeux et vis... les chauves-souris. Il y en avait des milliers. Toutes noires, elles battaient des ailes et traversaient la salle dans tous les sens, d'abord en piqué, puis se redressant pour repartir dans une autre direction.

Le plafond ne s'était pas écroulé.

En pénétrant dans leur domaine, Suzanne et moi avions réveillé les chauves-souris, qui sifflaient maintenant et chuintaient en dessinant des boucles folles au-dessus de nos têtes.

— S... sortons d'ici! criai-je en aidant ma sœur
à se remettre sur ses pieds.

— C'est sûrement pour ça que Brad et Agatha
nous ont défendu de venir ici! hurla-t-elle pour
dominer le grondement de ces milliers d'ailes qui
battaient.

Nous allions rebrousser chemin, quand la
lumière qui brillait toujours au fond de la grotte
me fit changer d'avis. Il suffisait de quelques
pas... Quelques pas de plus, et nous connaîtrions
la clé de l'énigme.

— Viens! ordonnai-je.

Prenant Suzanne par la main, je baissai la
tête et me mis à courir. Au-dessus de nous, les
chauves-souris continuaient leur ballet. Arrivés
au fond de la salle, il nous fallut emprunter un
autre tunnel étroit et tortueux. Nous avancions
maintenant prudemment, le dos plaqué contre
la paroi, sans nous lâcher la main. La lueur se
faisait de plus en plus vive.

Le tunnel débouchait sur une seconde salle,
à peu près aussi grande que la première.

Brusquement, la lumière nous aveugla. C'est
alors que je les vis.

Des bougies. Des centaines de bougies
blanches étaient posées autour de la salle, sur

des rochers plats. Elles étaient toutes allumées et éclairaient la place d'une lumière intense.

— Ah, c'était ça! murmurai-je. Des flammes de bougies.

— Ça n'explique rien du tout! protesta Suzanne, dont le visage livide était parcouru d'ombres changeantes. Qui a disposé toutes ces bougies ici?

Soudain, elle poussa un cri en pointant un doigt tremblant devant elle. Un vieil homme, avec de longs cheveux blancs hirsutes et un nez en forme de bec d'oiseau, était assis, courbé sur une table en bois. Ses yeux étaient fermés. Il était pâle et terriblement maigre; sa chemise usée flottait sur lui. Des ombres jouaient sur sa silhouette, si bien qu'il semblait s'allumer et s'éteindre comme les flammes qui l'entouraient. Il paraissait faire partie de la lumière. De cette lumière étrange.

Suzanne et moi n'osions plus bouger. Nous avait-il vus? Était-il vivant?

Était-ce... un fantôme?

Il ouvrit les yeux, de grands yeux noirs profondément enfoncés dans leur orbite, puis il se tourna vers nous et nous fixa d'un regard terrible. Lentement, il leva une main et recourba son index osseux, tout noueux.

— Venez ici...

Cet ordre était murmuré d'un ton très sec,
aussi sec que la mort.

Avant que nous ayons pu bouger, il se leva
de sa chaise et se dirigea vers nous.

J'aurais voulu m'enfuir, mais mes pieds
semblaient collés au sol, comme si la silhouette
fantomatique me retenait là, m'empêchant de
bouger d'un pouce. Suzanne lâcha un cri sourd et
me heurta par-derrière; elle avait dû trébucher,
mais le choc eut pour résultat de nous remettre
en mouvement. Je pivotai, tout en jetant un
dernier coup d'œil à la pâle figure vacillante;
sa silhouette squelettique brillait au milieu de
la lumière surnaturelle.

Il approchait toujours, la bouche tordue en un
étrange sourire. Ses yeux sombres nous fixaient,
aussi dénués d'expression que des billes d'acier.
Suzanne se mit à courir, et je l'imitai. Elle
s'engouffra avant moi dans le tunnel, ses
chaussures dérapant sur le sol humide. Je
m'efforçai de rester à sa hauteur et de ne pas
glisser. Mes jambes semblaient peser des tonnes.

Le sang battait si fort à mes tempes que ma tête paraissait sur le point d'exploser.

— Vite! Vite! criai-je d'une voix saccadée.

En regardant par-dessus mon épaule, je vis que le fantôme nous suivait. Jamais je n'aurais dû me retourner.

Je trébuchai sur une pierre... et m'étalai de tout mon long. Tentant de retrouver mon souffle, je tournai de nouveau la tête : les mains osseuses du fantôme se tendaient vers mon cou.

16

Je poussai un hurlement terrifié.

Tant bien que mal, je réussis à me remettre debout et à échapper aux mains décharnées qui cherchaient à m'attraper. Suzanne, pétrifiée, observait la scène la bouche ouverte, les yeux agrandis par l'angoisse.

Le fantôme grognait derrière moi, les bras écartés. Je ne sais pas comment, mais je retrouvai la force de courir. Je suivis Suzanne, retraversant à toute allure le tunnel étroit et tortueux, puis la salle aux chauves-souris, maintenant vide. Enfin, l'entrée de la grotte nous apparut. Il ne nous fallut que quelques instants pour redescendre parmi les rochers et retrouver la plage sablonneuse éclairée par la lune.

Je ne pus m'empêcher de me retourner une dernière fois. L'entrée de la grotte était sombre, maintenant. À bout de souffle, nous atteignîmes enfin la maison de nos vieux cousins. Je poussai la porte et entrai en trombe, Suzanne sur mes talons. La voix d'Agatha nous parvint de la cuisine :

— Suzanne? Jerry? C'est vous?

Elle parut sur le seuil, s'essuyant les mains sur un torchon à carreaux.

— Eh bien? lança-t-elle. L'avez-vous trouvé, cette fois?

Je la regardai, bouche bée, luttant encore pour retrouver mon souffle.

Trouvé quoi? Le fantôme? Était-ce ça qu'elle nous demandait?

— Alors, l'avez-vous trouvé? répéta-t-elle. Avez-vous trouvé la serviette de bain?

Suzanne et moi partîmes d'un grand éclat de rire, tandis qu'Agatha nous contemplait avec stupeur.

Ce soir-là, encore une fois, je n'arrivais pas à m'endormir. Je ne cessais de revoir le fantôme avec ses longues mèches blanches, ses yeux enfoncés et ses doigts osseux qui se tendaient vers moi. Et je me demandais si Suzanne et moi avions bien fait de ne pas en parler à Brad et Agatha.

— Si nous leur avouons que nous sommes allés dans la grotte, nous risquons d'avoir des ennuis, avais-je dit à ma sœur.

— Et de toute façon, ils ne nous croiraient sûrement pas, avait ajouté Suzanne.

— Pourquoi les inquiéter? Ils sont si gentils avec nous; ils ne comprendraient pas que nous leur ayons désobéi.

Nous avions donc gardé le silence sur le fantôme qui hantait cette épouvantable grotte. Mais à présent que je me retrouvais tout seul dans mon lit, à me tourner et à me retourner, mon cerveau se contorsionnait lui aussi, et je ne cessais de m'interroger : oui ou non, devions-nous avouer à nos cousins ce que nous avions vu?

Malgré la chaleur de l'été, je tirai mes couvertures jusqu'au menton et regardai du côté de la fenêtre ouverte. Derrière les rideaux gonflés par la brise, la lune d'un blanc pâle brillait, lumineuse. Ce clair de lune ne me plaisait pas du tout : il me rappelait la peau livide du fantôme.

Soudain, mes pensées furent interrompues par une sorte de tapotement très léger.

Tap tap. Tap tap tap.

Je me redressai vivement. Cela recommença.

Tap tap. Tap tap tap.

Puis j'entendis un chuchotement : « Viens ici. »
Tap tap tap. « Viens ici. »

Alors, je compris que le fantôme m'avait suivi
jusqu'ici.

17

« Viens ici. »

Assis dans mon lit, raide de terreur, je fixais avec impuissance la fenêtre illuminée par la lune. Une tête s'y dessinait peu à peu : d'abord des cheveux clairs, puis un grand front, puis une paire d'yeux sombres qui luisaient dans la lumière nocturne.

C'était Nic!

Il me décocha un grand sourire.

— Nic, c'est toi! m'écriai-je avec soulagement.

Je sautai au bas du lit et courus jusqu'à la fenêtre ouverte.

Dehors, Nic était perché sur les épaules de Sam; Louisa, vêtue d'un short blanc et d'un grand chandail gris, se tenait près d'eux.

— Qu'est-ce... qu'est-ce que vous faites ici? balbutiai-je. Vous m'avez fait une peur bleue.

— Nous ne voulions pas t'effrayer, répondit

Sam. Nous t'avons vu courir sur la plage avec ta sœur, tout à l'heure, et nous nous sommes demandé ce qui se passait.

— Vous ne le croirez jamais! m'exclamai-je.

Soudain, je me rendis compte que ma voix devait porter jusqu'à la chambre de Brad et d'Agatha. Je ne voulais pas les réveiller.

Je fis signe aux trois enfants.

— Montez dans ma chambre. Ici, nous pourrons parler.

Je les aidai tous les trois à enjamber la fenêtre, puis ils s'installèrent sur mon lit. Très excité, je commençai mon récit :

— Suzanne et moi, nous sommes entrés dans la grotte. Nous avons vu le fantôme. Il était assis dans une salle illuminée de bougies.

La surprise se lisait sur leur visage.

— Il était très vieux et avait l'air terrifiant. Il ne marchait pas, il semblait flotter. Quand il nous a vus, il a essayé de nous poursuivre. À un moment, je suis tombé et il a failli m'attraper, mais j'ai réussi à m'échapper.

— Ça alors... marmonna Sam.

Les deux autres continuaient à me fixer d'un air effaré.

— Et après? demanda Nic.

— Après, nous sommes rentrés ici en courant aussi vite que possible. Voilà, c'est tout.

Ils me regardèrent encore un long moment. J'essayai de deviner ce qu'ils pensaient. Est-ce qu'ils me croyaient?

Tout à coup, Sam se leva et marcha jusqu'à la fenêtre.

— Nous ne voulions pas que vous sachiez pour le fantôme, dit-il doucement.

— Pourquoi? demandai-je.

Sam hésita.

— Nous ne voulions pas vous faire peur.

Je lâchai un rire ironique.

— Ah, oui? Pourtant, vous avez essayé de nous effrayer chaque fois que vous le pouviez!

— C'était juste pour s'amuser, expliqua Sam. Mais nous savions bien que si vous découvriez le fantôme... Il ne finit pas sa phrase.

— Est-ce que vous l'avez vu, vous aussi? demandai-je en les dévisageant à tour de rôle.

Ils hochèrent la tête tous les trois.

— Nous n'allons plus jamais par là-bas, déclara Nic en se grattant le bras. Le fantôme nous fait trop peur.

— Il est vraiment dangereux, renchérit Louisa. À mon avis, il veut nous tuer tous.

Elle me regarda droit dans les yeux.

— Même vous, Suzanne et toi.

Un frisson d'horreur me parcourut.

— Pourquoi? Nous ne lui avons rien fait.

— Cela n'a pas d'importance. Personne n'est à l'abri, reprit doucement Sam en jetant un coup d'œil nerveux vers la fenêtre. Vous avez vu le squelette dans le bois, non? C'est ce que le fantôme fera de vous s'il vous attrape.

Je frémis encore. J'étais vraiment terrifié, à présent.

— Il y a une solution pour se débarrasser de lui, intervint Louisa.

Elle croisait et décroisait nerveusement ses mains posées sur ses genoux.

— Mais nous avons besoin de votre aide, reprit-elle. Nous ne pouvons pas y arriver sans ta sœur et toi.

J'avalai ma salive avec difficulté.

— Nous? Qu'est-ce que nous pouvons faire?

Avant qu'elle me réponde, le plancher craqua au-dessus de nos têtes. Il nous sembla entendre quelqu'un parler. Avions-nous réveillé Brad et Agatha?

Louisa et ses deux frères se ruèrent vers la fenêtre et se laissèrent tomber de l'autre côté.

— Rendez-vous demain matin, à la plage, lança Sam.

Debout près des rideaux, je les regardai disparaître dans le bois. La pièce était redevenue silencieuse. Les rideaux gonflaient doucement, et je fixai les pins qui se balançaient avec douceur, eux aussi.

« Comment Suzanne et moi pouvons-nous les aider à se débarrasser d'un vieux fantôme? me demandais-je. Que pouvons-nous faire? »

18

Le lendemain matin, je fus éveillé par le bruit de la pluie. Je sautai hors de mon lit et courus à la fenêtre : le vent soufflait en bourrasques. Dans le jardin, de minces ruisselets d'eau s'étaient formés entre les rangées de légumes et coulaient dans la cour. Un brouillard épais enveloppait les arbres.

— Un temps pareil en été, nous ne sommes pas chanceux! lança Suzanne en pénétrant dans ma chambre.

Je me retournai vivement vers elle.

— Suzanne... j'ai quelque chose à te dire.

Je lui racontai mon entretien de la veille avec les trois Sadler. Quand j'eus fini, Suzanne garda les yeux fixés sur la fenêtre.

— Qu'est-ce que nous faisons, maintenant? demanda-t-elle. Comment aller à la plage avec ces trombes d'eau?

— C'est impossible. Il faut attendre que la pluie s'arrête.

En soupirant, elle retourna dans sa chambre pour s'habiller.

De mon côté, j'enfilai mon vieux jean déchiré aux genoux et un chandail gris, puis j'allai rejoindre tout le monde pour le déjeuner. Agatha nous prépara du gruau, avec de gros morceaux de sucre brun et du beurre. Après le repas, Brad alluma un bon feu dans la cheminée et Suzanne s'installa devant pour coller des fleurs séchées dans son herbier. Moi, pendant ce temps-là, j'attendais que la pluie cesse de tomber. Satanée pluie!

Le soleil n'apparut qu'au bout de deux heures. Sans perdre de temps, j'entraînai ma sœur jusqu'à la plage. Les Sadler n'y étaient pas. Je m'exerçai à faire des ricochets, tandis que Suzanne cherchait des coquillages. Nous attendîmes une heure. En vain.

— Qu'est-ce qu'on fait? demandai-je en tapant du pied dans un petit rocher.

La journée n'avait été qu'un beau gâchis.

— J'ai emporté mon matériel à dessin, répondit Suzanne. Si on allait au cimetière?

Je la suivis à contrecœur. Encore une fois, l'ouverture dans le mur nous permit d'entrer. J'inspectai les alentours. Les pierres étaient si vieilles! Plusieurs avaient été renversées, d'autres étaient cassées ou couvertes de mauvaises herbes.

Cette forêt qui commençait à envahir la place m'impressionnait toujours autant : les racines de plusieurs arbres recouvraient certaines tombes. Un immense pin abattu par la foudre avait renversé plusieurs stèles.

— Je vais voir s'il y a quelque chose d'intéressant par là, annonça Suzanne.

Nous n'avions pas encore exploré le centre du cimetière. La dernière fois, nous étions restés sur le côté. Machinalement, je commençai à lire les noms gravés sur les pierres. Sur la première, je lus : *Ci-gît le corps de Martin Sadler*.

« C'est curieux, pensai-je. Un autre Sadler. »

Sam nous avait bien dit que Sadler était un nom très répandu dans cette région. Peut-être que ce coin du cimetière leur était réservé?

La tombe voisine de celle de Martin Sadler était celle de Mary Sadler, sa femme. Puis il y avait deux enfants Sadler : Sarah et Miles. Je passai à la rangée suivante et continuai à lire les

inscriptions : un autre Sadler prénommé Peter.
Près de Peter se trouvait Miriam Sadler.

Je commençais à avoir la chair de poule.

Je partis dans une autre direction, lisant
toujours les inscriptions. Rien que des Sadler,
là aussi. Hiram, Margaret, Constance, Charity...
Est-ce que ce cimetière ne contenait que des
Sadler? Est-ce qu'il n'y avait que les Sadler qui
mouraient, par ici? Soudain, un cri perçant de
Suzanne traversa les airs.

— Jerry! Viens voir!

Je la retrouvai à quelques mètres du pin
tombé. Son visage exprimait la plus grande
confusion.

— Regarde! ordonna-t-elle en me désignant
un groupe de tombes.

Je baissai les yeux sur deux grandes pierres :
Thomas Sadler, mort le 18 février 1641, et
Priscilla Sadler, épouse de Thomas, morte
le 5 mars 1641.

— Je sais, dis-je. Le cimetière est rempli de
Sadler. Ça fait une drôle d'impression, hein?

— Mais non, ce n'est pas ça. Regarde les
tombes des enfants, répliqua Suzanne d'un ton
impatient.

Je vis alors trois petites pierres identiques qui

s'alignaient près de celles des parents. Elles étaient bien droites, propres et faciles à lire – comme si quelqu'un s'en occupait. Je me penchai pour lire les noms : *Sam Sadler, fils de Thomas et de Priscilla.* Je me redressai.

— Et alors? demandai-je à Suzanne.

— Lis la suivante, m'ordonna-t-elle encore.

Je me courbai pour la deuxième fois.

Louisa Sadler

— Oh, oh, fis-je. Je parie que je peux deviner le troisième nom.

— Oui, je crois que tu le peux, répondit ma sœur d'une voix tremblante.

Mes yeux se posèrent sur la troisième pierre : *Ci-gît Nic Sadler, mort dans sa cinquième année.*

19

Je fixai les trois tombes jusqu'à ce que leur image se brouille devant mes yeux.

Trois tombes. Trois enfants.

Sam, Louisa et Nic. Tous morts dans les années 1640.

— Je ne comprends pas, murmurai-je.

Je me remis debout. J'éprouvais une horrible sensation de vertige.

— Je ne comprends vraiment pas, répétai-je.

— Là, il faut absolument que nous en parlions à Brad et Agatha, déclara Suzanne. Cette fois, c'est trop bizarre!

Nous fîmes demi-tour et partîmes en courant. Je ne pouvais pas m'empêcher de revoir ces trois tombes. Sam, Louisa et Nic.

De retour à la maison, nous trouvâmes Brad et Agatha dans le jardin, installés sous les arbres, dans leurs fauteuils à bascule assortis.

— Ah, les enfants... Ça court tout le temps. J'aimerais avoir votre vitalité, dit joyeusement Agatha en nous voyant arriver tout essoufflés.

— Nous étions au cimetière, lançai-je sans perdre un instant. Nous avons quelque chose à vous demander.

Agatha leva les sourcils.

— Oh! Vous vous êtes amusés à décalquer des pierres tombales?

— Non! répondit Suzanne. Nous avons juste lu les inscriptions. Et il n'y a que des Sadler. Partout. Partout.

Agatha se balançait avec énergie sur son fauteuil. Elle hocha la tête, mais ne dit rien.

— Vous vous rappelez les trois enfants que nous avons rencontrés sur la plage? continuai-je à mon tour. Eh bien! nous avons trouvé des tombes portant leurs noms : Sam, Louisa et Nic Sadler. Morts vers 1640!

Brad et Agatha se balançaient au même rythme. D'arrière en avant, d'avant en arrière. Agatha me sourit.

— Eh bien, Jerry, quelle est ta question?

— Comment se fait-il qu'il y ait autant de Sadler dans le cimetière? Et comment se fait-il que ces tombes portent les noms de nos amis?

— Bonnes questions, marmonna Brad d'un ton tranquille.

Agatha sourit de nouveau.

— Bravo! Vous êtes très observateurs, c'est bien. Assoyez-vous. C'est une assez longue histoire.

Suzanne se laissa tomber dans l'herbe. Je l'imitai.

— Racontez-nous-la, demandai-je avec impatience.

Agatha prit une grande inspiration et commença.

— Voilà : au cours de l'hiver 1641, un groupe important de Sadler a quitté l'Angleterre pour venir s'installer ici; il y avait pratiquement toute la famille. Ils venaient pour y commencer une nouvelle vie.

Elle jeta un coup d'œil à Brad, qui regardait dans le vague, perdu dans ses pensées.

— Ce fut l'un des pires hivers de l'histoire, poursuivit Agatha. Un hiver tragique et bien triste pour les Sadler : ils n'étaient pas préparés à affronter un tel froid et ils sont morts, les uns après les autres. On les a tous enterrés dans ce petit cimetière. En 1642, il n'en restait presque plus.

Brad fit claquer sa langue et secoua la tête. Agatha, qui se balançait toujours à un rythme soutenu, continua :

— Vos amis Sam, Louisa et Nic sont vos cousins éloignés, comme Brad et moi. On leur a donné les noms de leurs ancêtres, ces trois enfants enterrés dans le cimetière. Nous avons reçu, nous aussi, les noms d'anciens Sadler. Si vous cherchez bien, vous trouverez aussi des tombes à notre nom.

— Vraiment? s'exclama Suzanne.

Agatha acquiesça d'un air solennel.

— Vraiment. Mais Brad et moi-même ne sommes pas du tout pressés d'aller joindre nos squelettes à ceux de nos ancêtres, n'est-ce pas, Brad?

Brad secoua la tête.

— Sûrement pas!

Tout le monde éclata de rire. Nous étions soulagés!

J'étais tellement content de connaître la raison de ces mystérieuses inscriptions. J'eus brusquement envie de raconter à Brad et Agatha l'histoire du fantôme de la grotte. Mais Suzanne se mit à parler de fleurs et je restai allongé dans l'herbe, gardant mes pensées pour moi.

Le lendemain matin, nous retrouvâmes Sam, Louisa et Nic sur la plage. Je les interpellai en courant vers eux :

— Où étiez-vous passés hier? Nous vous avons attendus tout l'après-midi.

— Hé, ce n'est pas de notre faute! protesta Sam. Il pleuvait. On ne nous a pas permis de sortir.

— Nous, nous sommes allés au petit cimetière, annonça Suzanne. Nous avons vu trois tombes qui portent vos noms.

Louisa et Sam échangèrent un coup d'œil.

— Ce sont nos ancêtres, dit Sam. On nous a donné leurs noms.

— Jerry m'a dit que vous aviez un plan pour vous débarrasser du fantôme, intervint ma sœur, qui ne laisse jamais traîner les choses sérieuses.

— C'est vrai, répondit Sam, la mine soudain très grave. Venez avec nous.

Il se dirigea à toute allure en direction de la grotte. Je dus presser le pas pour le suivre.

— Hé, où vas-tu comme ça? m'écriai-je. Il n'est pas question que je retourne dans cette grotte, sûrement pas!

— Moi non plus, déclara Suzanne. Avoir été poursuivie une fois par un fantôme me suffit.

Les yeux noisette de Sam se fixèrent sur les miens.

— Vous n'aurez pas à y retourner, je vous le promets.

Il nous conduisit jusqu'aux rochers qui se trouvaient juste au-dessous de la grotte. À la lumière du jour, la caverne était nettement moins impressionnante. La pierre brillait, blanche et lisse. L'entrée paraissait moins profonde et moins inquiétante.

Sam la désigna du doigt.

— Vous voyez ces gros rochers empilés là-haut?

Je plissai les paupières.

— Oui, et alors?

— Tout ce que vous aurez à faire, c'est grimper jusque-là et pousser ces rochers en bas. Ils vont boucher l'entrée de la grotte et le vieux fantôme ne pourra plus jamais sortir.

Suzanne regarda les rochers avec des yeux ronds. Ils étaient énormes.

— C'est une blague, hein? lançai-je, incrédule.

Louisa secoua la tête.

— Nous sommes très sérieux, murmura-t-elle.

— Vous voulez que nous bouchions l'entrée avec ces rochers? répétai-je, les yeux toujours fixés sur le trou sombre qui semblait me fixer comme un œil noir géant. Et vous croyez que le fantôme ne pourra pas sortir? Qu'est-ce qui l'empêchera de passer à travers les blocs? C'est un fantôme, ne l'oubliez pas.

— Il ne le pourra pas, déclara Louisa. Les vieilles légendes disent que cet endroit est un sanctuaire. Ça signifie que, si une créature maléfique y est coincée, elle ne peut plus s'en échapper. Le fantôme sera enfermé là à tout jamais.

Suzanne fronça les sourcils.

— Dans ce cas, pourquoi ne l'avez-vous pas fait vous-mêmes?

— Nous avons trop peur, avoua Nic d'une voix tremblante.

— Si nous ratons notre coup, le fantôme risque de nous poursuivre, expliqua Sam. Nous habitons ici; il réussira à trouver notre maison sans peine et il se vengera.

Louisa me regarda, les yeux suppliants.

— Nous attendions que des étrangers puissent nous aider, ajouta-t-elle. Des gens en qui nous aurions confiance.

— Et nous? rétorquai-je. Que va-t-il nous arriver si nous échouons? Est-ce que le fantôme ne va pas sortir pour nous attraper? Il nous reste encore trois semaines à passer ici!

— Vous n'échouerez pas, affirma Sam d'un air solennel. Nous vous aiderons. Si le fantôme sort, Nic, Louisa et moi le distrairons. Nous l'empêcherons de vous poursuivre!

— Voulez-vous nous aider? S'il vous plaît! insista Louisa. Ce vieux fantôme nous terrifie depuis si longtemps!

— Si vous acceptez de le piéger avec nous, vous rendrez tous les habitants heureux, précisa Sam.

J'hésitais. Tant de choses pouvaient mal se passer...

Si les rochers refusaient de bouger? Si le fantôme sortait et nous surprenait là-haut, Suzanne et moi? Si l'un de nous deux glissait et tombait de la hauteur de la grotte?

« Non, pensai-je. Pas question. Nous ne pouvons pas faire ça. C'est trop dangereux. »

Je me tournai, décidé à refuser, quand la voix de ma sœur s'éleva, triomphante :

— D'accord! On va vous aider!

20

— Rendez-vous ce soir, après le souper, ici même! déclara Sam, visiblement soulagé.

Et il s'éloigna avec son frère et sa sœur, tandis que Suzanne et moi retournions chez nos cousins.

L'après-midi fut consacrée à ramasser des bleuets avec Agatha, et à préparer des sorbets. Cette glace fut la meilleure que j'aie jamais mangée. D'après Agatha, c'était parce que nous avions cueilli nous-mêmes les bleuets.

Au fur et à mesure que le souper approchait, je me sentais de plus en plus nerveux. Allions-nous vraiment prendre le fantôme au piège, ce soir?

L'heure du repas arriva enfin; je mangeai à peine. J'expliquai à Agatha que la glace aux bleuets m'avait coupé l'appétit.

Le souper terminé, nous aidâmes Agatha

à faire la vaisselle. Brad insista ensuite pour m'expliquer comment faire les nœuds de marins. Mon estomac était plus noué que la corde qui servait à la démonstration!

Enfin, l'instant tant redouté arriva : Suzanne annonça que nous allions prendre l'air sur la plage, et nous partîmes rejoindre nos trois amis, comme si de rien n'était.

La nuit était claire, sans nuages. Des milliers d'étoiles scintillaient au-dessus de nos têtes. La pleine lune nous permettait d'y voir sans lampe de poche.

Nous n'avions pas vraiment envie de parler. Je n'arrêtais pas de penser à l'avertissement de nos parents, qui m'avaient bien recommandé, avant notre départ, d'empêcher Suzanne de se mettre dans des situations délicates.

« La situation délicate, nous y sommes en plein, pensai-je. Nous y sommes même jusqu'au cou, et tous les deux. Et peut-être tous les cinq. »

Sam, Louisa et Nic nous attendaient près du rivage. Le clair de lune se réverbérait dans l'eau noire. Soudain, je regrettai cette clarté. Ce que nous allions faire exigeait l'obscurité la plus totale.

Quand je saluai nos amis, les nœuds de

mon estomac semblèrent se resserrer encore davantage. Sam posa un doigt sur ses lèvres et nous fit signe de les suivre. En silence, notre petit groupe se fraya un chemin à travers les rochers.

— Hé, regardez là-haut! chuchotai-je.

La lumière brillait, étincelante au fond de la grotte. Le fantôme était là.

Contemplant la caverne, je calculai la meilleure façon d'y arriver.

« Nous devrions suivre le même chemin que la première fois, pensai-je. Mais au lieu d'y entrer, il faudrait continuer à grimper sur le côté pour arriver en haut. »

Près de moi, je sentais Suzanne nerveuse. Elle s'agitait, fébrile.

— Prête? lui demandai-je dans un souffle.

Elle hocha la tête, l'air grave.

— Nous allons attendre ici, murmura Sam. Si le fantôme sort, nous pourrons le distraire.

Ils se serrèrent les uns contre les autres. Leur visage exprimait la tension et la peur. Nic prit la main de Louisa.

— À tout à l'heure, Suzanne, souffla-t-il d'une petite voix.

Je crois qu'il était un peu amoureux

de ma sœur.

— Nous n'en avons que pour quelques minutes, lui chuchota-t-elle. Ne t'inquiète pas, Nic. Nous allons vous débarrasser de ce sale fantôme. Viens, Jerry!

J'avais les jambes en coton, mais je tenais tout de même à passer devant. Nous grimpions avec prudence, guettant le moindre signe de danger.

Je me retournai pour observer ma sœur, qui se trouvait à quelques pas au-dessous de moi. Elle avait le souffle court et plissait les paupières pour mieux se concentrer. La grotte nous apparut assez vite. À l'intérieur, la lumière vacillait toujours. Je pointai l'index vers la droite, montrant à ma sœur le côté par lequel je comptais la contourner. Suzanne hocha la tête et me suivit.

Les rochers étaient humides et glissants. Nous étions obligés de grimper à quatre pattes; la pente était plus abrupte que je ne le pensais. Je luttais pour ne pas trembler. Je savais que le moindre geste maladroit pouvait provoquer la chute de plusieurs pierres. Le fantôme découvrirait sans peine notre présence. Et alors...

Nous progressions prudemment et

régulièrement. Je m'arrêtai un instant pour reprendre mon souffle et regardai la plage en bas. Je commençais à avoir le vertige. Nos amis n'avaient pas bougé.

J'atteignis le rocher lisse qui surplombait la grotte. Puis je me retournai pour tendre une main à Suzanne et l'aider à prendre pied sur l'étroite plate-forme. Je réfléchis un moment. Les rochers que nous devions faire rouler devant la grotte n'étaient pas aussi gros que je l'avais pensé. Ils étaient empilés les uns sur les autres et formaient une sorte de mur; il ne devait pas être trop difficile de passer derrière et de les pousser.

Comme je commençais à m'en approcher, je jetai machinalement un coup d'œil à nos trois copains. Quelle ne fut pas ma surprise de voir que Sam agitait vigoureusement les deux bras et sautait sur place. Louisa et Nic, eux aussi, faisaient des gestes frénétiques.

— Qu'est-ce que ça peut bien vouloir dire? Qu'est-ce qu'ils font? demanda Suzanne.

— Ils essaient sûrement de nous dire quelque chose, répondis-je.

Un frisson de terreur me parcourut. Avaient-ils aperçu le fantôme? Étions-nous en danger?

J'inspirai profondément en essayant de vaincre ma peur. Je me penchai au-dessus du rebord pour voir l'entrée de la grotte. Il n'y avait personne.

— Jerry, redresse-toi! cria Suzanne. Tu vas tomber!

Je me remis debout, et je vis alors nos trois amis qui détalaient vers la forêt.

La panique me coupa le souffle.

— Quelque chose ne va pas, dis-je en me retournant vers ma sœur. Filons!

C'est à cet instant que je vis le fantôme. Il était juste derrière nous!

Son corps entier, très pâle, semblait briller sous la lumière de la lune. Ses yeux enfoncés nous fixaient d'un regard terrible. D'une main osseuse, il me saisit l'épaule, et de l'autre, il attrapa Suzanne.

— Venez avec moi, ordonna-t-il dans un bref murmure, le murmure de la fatalité.

21

Il nous traîna jusqu'à la caverne avec une force surprenante chez un vieillard d'apparence si frêle. Par instants, le sol semblait se dérober sous mes pieds. Impossible de crier : mon souffle restait coincé dans la gorge. Mon épaule frotta contre la paroi rocheuse; ça me fit un mal de chien, mais la peur me rendait muet. Je tentai en vain de me libérer : le fantôme était trop fort pour moi.

Suzanne sanglotait et s'agitait, elle aussi, dans tous les sens pour lui échapper. Sans succès.

Il nous fit traverser les couloirs sombres et étroits où nous étions déjà passés une fois. Devant nous, la lumière devenait de plus en plus vive.

Le fantôme ne nous lâcha qu'une fois dans la salle aux bougies. Il nous jeta un regard sévère, puis nous fit signe de son doigt crochu de nous diriger jusqu'à sa table.

— Qu'est-ce... qu'est-ce que vous allez nous faire? parvint à balbutier Suzanne.

Il ne répondit pas. Il écarta les longues mèches blanches de son visage, puis il nous ordonna de nous asseoir par terre. Je me laissai tomber sans aucune résistance; mes jambes ne me portaient plus. Je jetai un coup d'œil à Suzanne. Sa lèvre inférieure tremblait, elle tenait ses mains serrées sur ses genoux. Le fantôme se racla la gorge et, s'appuyant lourdement sur la table, dit d'une voix sourde :

— Vous n'auriez jamais dû faire ça...

— Nous... nous ne voulions rien faire de mal, lançai-je.

— C'est dangereux de fréquenter les fantômes, reprit-il, ignorant mon piteux mensonge.

Je fis une tentative désespérée.

— Nous allons partir, dis-je. Nous ne reviendrons plus jamais ici. C'est promis.

— Nous n'avions pas l'intention de vous déranger, monsieur le fantôme, renchérit Suzanne.

Soudain, les yeux enfoncés du fantôme s'agrandirent de surprise.

— Me déranger? Moi?

Un curieux sourire passa sur son visage blafard.

— Nous ne dirons à personne que nous vous avons vu, affirmai-je.

Son sourire macabre s'élargit.

— Moi? répéta-t-il.

Il se pencha par-dessus la table.

— Mais ce n'est pas moi, le fantôme!

22

— Le fantôme, ce n'est pas moi! répéta-t-il.
Les fantômes, ce sont vos trois amis.

— Quoi? criai-je, incrédule.

Le sourire du vieillard s'effaça.

— Je vous dis la vérité, affirma-t-il en se
radoucissant.

— Vous essayez de nous tromper, répliqua
Suzanne. Ces trois enfants...

— Ce ne sont pas des enfants, coupa le
fantôme d'un ton sec. Ils ont plus de trois cent
cinquante ans!

J'échangeai un regard avec Suzanne. Je ne
savais plus que penser.

— Permettez-moi de me présenter, reprit le
vieillard.

Il s'assit sur le bord de la table, les ombres
tremblotantes des bougies jouant sur son visage
ridé.

— Je suis Harrison Sadler, annonça-t-il.

— Encore un Sadler! m'exclamai-je.

— Nous sommes aussi des Sadler! s'écria Suzanne.

— Je le sais, dit-il.

Il se mit à tousser, d'une toux sèche et tenace.

— Je suis arrivé d'Angleterre il y a un bon moment, ajouta-t-il.

— En 1641? murmurai-je.

Un frisson me parcourut. Ma question parut l'amuser.

— Non! Ça ne fait quand même pas aussi longtemps, répondit-il. Je suis venu ici chercher la trace de mes ancêtres. Ce que j'ai découvert a... bouleversé ma vie. Depuis, j'étudie les sciences occultes et je chasse les revenants.

Il soupira.

— Ce n'est pas le travail qui manque, dans le coin.

Je le regardais fixement, observant son visage. Pouvait-il réellement dire la vérité? Ou bien s'agissait-il d'une mauvaise plaisanterie? Ses yeux noirs ne trahissaient rien.

— Pourquoi nous avez-vous traînés ici? demandai-je en me relevant.

— Pour vous avertir, déclara Harrison Sadler.

Pour vous mettre en garde contre les fantômes. Vous êtes en grand danger, par ici. Je les ai étudiés, je sais le mal dont ils sont capables.

Suzanne gémit. Je n'aurais pas su dire si elle le croyait ou non. Pour moi, son histoire ne tenait pas debout.

— Si vous êtes un scientifique qui étudie les sciences occultes, pourquoi restez-vous dans cette caverne?

Il leva lentement une main et indiqua le plafond de la grotte.

— Cette grotte est un sanctuaire, murmura-t-il.

Un sanctuaire. C'était le terme que Louisa avait utilisé.

— Une fois dans ce lieu, expliqua-t-il, les fantômes ne peuvent pas s'échapper à travers les parois rocheuses.

— Ce qui signifie que vous êtes coincé ici? demanda ma sœur.

Il cligna des yeux.

— Ce n'est pas moi qui suis coincé, la corrigea-t-il sans s'emporter. Je compte bien piéger les fantômes en les attirant ici; c'est pour ça que j'ai entassé des rochers au-dessus de l'entrée. Ils pourront me servir. Une fois prisonniers dans la grotte, ils n'en sortiront plus jamais.

Je me tournai vers ma sœur; elle contemplait Harrison d'un air pensif.

— Mais vous, pourquoi vivez-vous ici? demandai-je.

— J'y suis en sécurité. Le sanctuaire me protège. Les fantômes ne peuvent pas me surprendre en passant à travers les murs. C'est pour ça qu'ils vous ont envoyés ici, au lieu de venir eux-mêmes.

— Ils nous ont envoyés parce que vous les terrifiez! criai-je, oubliant ma propre peur. Et parce que c'est vous qui êtes le fantôme!

Son expression changea. Son regard se fit plus dur. Il s'écarta de la table et s'approcha vivement de nous. Ses yeux enfoncés luisaient comme des braises.

— Qu'est-ce que vous allez faire? criai-je.

23

Harrison avança encore d'un pas, menaçant.

— Vous ne me croyez pas, n'est-ce pas?

Suzanne et moi étions trop terrifiés pour lui répondre.

— Qu'est-ce... qu'est-ce que vous allez faire? répétai-je d'une toute petite voix.

Il nous foudroya du regard un long moment, les flammes se reflétant toujours sur son visage émacié.

— Ce que je vais faire? Je vais vous laisser partir, répondit-il enfin.

Suzanne poussa un cri de surprise. Je me mis à reculer vers le tunnel.

— Oui, je vais vous laisser partir, répéta-t-il. Pour que vous puissiez étudier le coin nord du vieux cimetière.

Il agita sa main noueuse.

— Allez-y tout de suite. Allez au cimetière.

— Vous... vous nous laissez vraiment partir? balbutiai-je.

— Quand vous aurez vu le coin nord, vous reviendrez ici, répondit-il d'un ton mystérieux. Oui, vous reviendrez.

« Sûrement pas, pensai-je, le cœur battant. Pas question que je revienne dans les parages. »

— Filez! cria le fantôme.

Nous quittâmes la grotte à toute allure, et descendîmes à travers les rochers. Je ne pouvais pas oublier le visage de Harrison : ses yeux luisants et méchants, ses mèches blanches, ses dents jaunes. Je songeai en frissonnant à la force dont il avait fait preuve pour nous entraîner chez lui. Une force surnaturelle...

Je pensais aussi à Sam, Louisa et Nic. Impossible qu'ils soient des fantômes : c'étaient nos copains. Ils avaient cherché à nous avertir quand le fantôme avait surgi derrière nous. Ils nous avaient dit que ce revenant les avait terrifiés toute leur vie. Je me souvenais aussi du visage de Nic, quand il nous avait avoué sa peur des fantômes.

« Harrison Sadler est un menteur, pensai-je avec amertume. Un fantôme menteur de trois cent cinquante ans. »

Un arrêt en bas, sur la plage, nous permit de reprendre notre souffle.

— Il... il est vraiment épouvantable! lança Suzanne.

— Je n'arrive pas à croire qu'il nous ait libérés, ajoutai-je.

Je me penchai en avant, les mains sur les genoux, attendant que mon point de côté disparaisse. Je cherchai des yeux nos trois amis, mais ils étaient introuvables.

— Nous allons au cimetière? demanda Suzanne.

— Je sais ce qu'il veut qu'on voie, répondis-je, jetant un regard vers la grotte sombre. Je sais ce qu'il y a, dans le coin nord : c'est là que se trouvent les tombes de Sam, Louisa et Nic. Il ignore que nous les avons déjà découvertes!

— Et alors?

— Il essaie de nous faire peur, c'est tout. Il pense sûrement qu'en voyant ces tombes, nous serons convaincus que ce sont des fantômes.

— Mais il y a peut-être quelque chose que nous avons manqué! protesta Suzanne.

Je trouvais bien inutile de retourner là-bas, mais ma sœur partit devant. Je la suivis, ne voulant pas la laisser seule.

Après avoir quitté la plage, nous nous enfonçâmes dans le bois. L'air devenait plus frais, et les branches au-dessus de nous dessinaient des ombres étranges sur le chemin. Devant l'entrée du cimetière, Suzanne s'arrêta.

— On peut toujours aller vérifier, murmura-t-elle.

Je la suivis dans le cimetière, trébuchant sur des pierres et des ronces, pour atteindre enfin le fameux coin nord. Un pâle rayon de lune jouait sur les trois tombes des enfants Sadler.

— Tu vois quelque chose de bizarre, toi? me chuchota Suzanne.

Je jetai un regard circulaire autour de nous.

— Rien du tout, répondis-je.

J'inspectai plus attentivement les tombes qui nous faisaient face.

— Elles ont l'air comme hier, dis-je. Bien propres, bien carrées, bien... Oh!

Quelque chose venait d'attirer mon regard.

— Tu as un problème? demanda Suzanne.

Je m'efforçais de percer la pénombre.

— Je crois qu'il y a...

— Quoi? Qu'est-ce que tu as vu?

— De la terre retournée. Dans le coin, derrière l'arbre mort. On dirait une tombe neuve.

— Impossible, décréta Suzanne. J'ai déjà vérifié toutes les tombes. Personne n'a été enterré ici depuis cinquante ans.

Elle fit encore deux ou trois pas en direction du coin que j'avais désigné.

— Jerry! s'écria-t-elle. Tu as raison, c'est une tombe! Une nouvelle tombe!

Elle enjamba le tronc de l'arbre en me faisant signe de la suivre. Un rayon de lune, là aussi, jouait sur le sol fraîchement retourné.

— Il y en a deux! m'exclamai-je dans un souffle. Deux tombes neuves avec une petite pancarte!

Je m'accroupis pour pouvoir lire l'inscription.

— Qu'est-ce qui est écrit? demanda Suzanne.

J'avais la bouche sèche. Je ne pouvais pas lui répondre.

— Jerry? Tu n'arrives pas à lire?

— Oui, fis-je enfin. Ce sont nos noms, Suzanne.

L'inscription disait : *Jerry Sadler et Suzanne Sadler.*

24

— Qu'est-ce... mais... qu'est-ce que ça veut dire? balbutiai-je.

— Qui a creusé ces tombes? demanda Suzanne. Qui a mis cette pancarte?

— Filons d'ici, ordonnai-je d'un ton pressant. Allons en parler à Brad et Agatha.

Suzanne marqua une hésitation. J'insistai :

— Il le faut. Il faut tout leur raconter maintenant. Nous aurions dû le faire depuis longtemps.

— D'accord... dit-elle.

Je me retournai pour partir quand, soudain, j'aperçus trois silhouettes qui nous fixaient dans l'ombre. Sam sauta vivement par-dessus le tronc couché.

— Où allez-vous? demanda-t-il. Qu'est-ce que vous faites ici?

Louisa et Nic arrivèrent peu après.

— Nous... nous devons rentrer à la maison, répondis-je. Il est tard, et...

— Est-ce que vous avez tué le fantôme? demanda Nic en s'approchant de moi.

Il me dévisageait avec espoir. Je passai une main dans ses cheveux.

Ils étaient vrais, sa tête était chaude. Il n'avait pas du tout l'air d'un fantôme. C'était un petit garçon en chair et en os.

« Harrison Sadler a menti », pensai-je.

— Est-ce que vous avez tué le vieux fantôme? répéta-t-il d'un ton impatient.

— Non, nous n'avons pas pu.

Nic poussa un soupir déçu.

— Alors, comment avez-vous pu partir? intervint Sam, l'air soupçonneux.

— Nous nous sommes enfuis, répondit Suzanne.

C'était presque vrai.

— Mais vous, où étiez-vous? lançai-je à mon tour.

— Oui, reprit Suzanne d'une voix coupante. Vous n'avez pas fait grand-chose pour le distraire!

— Nous... Nous avons essayé de vous faire des signes, dit Louisa, triturant nerveusement une mèche de ses longs cheveux roux. Après... nous avons eu peur et nous avons couru nous cacher dans les bois.

— Nous n'avons pas vu tomber les rochers, dit Sam et nous avons pensé que le fantôme vous avait attrapés. Nous craignions de ne plus vous revoir!

Nic eut un sanglot étouffé et prit la main de Louisa.

— Il faut tuer le fantôme, pleurnicha-t-il. Il le faut!

Sam et Louisa tentèrent de réconforter leur petit frère. Mon regard tomba sur les deux tombes neuves.

Je frissonnai; un vent frais faisait trembler et murmurer les feuilles des arbres.

J'allais demander à Sam ce qu'il en pensait, mais il reprit la parole le premier.

— Essayons encore, dit-il en regardant ma sœur avec insistance avant de se tourner vers moi, l'air suppliant.

— Pas question! m'exclamai-je. Nous nous en sommes sortis une fois, ce n'est pas pour y retourner et...

— Mais au contraire, c'est le moment idéal! appuya Louisa. Il ne s'attend pas à ce que vous reveniez ce soir. Nous allons le prendre par surprise!

— S'il vous plaît! supplia Nic d'une toute petite voix.

J'étais stupéfait. Je n'arrivais pas à croire qu'ils nous demandent encore une chose pareille. Suzanne et moi avions risqué notre vie en grimpant là-haut. Nous aurions pu être tués par ce vieux fantôme menteur. Nous pourrions ressembler, en ce moment, à cet horrible squelette de chien. Et ils osaient nous supplier de recommencer?

C'était une idée ridicule. « Jamais je n'accepterai de le faire. Jamais! », pensai-je.

— D'accord, déclara ma sœur. Nous allons y retourner.

Louisa et ses frères poussèrent des cris de joie. Suzanne m'avait refait le même coup, une deuxième fois.

25

Sans m'attendre, Suzanne partit vers la plage. J'essayai péniblement de la rattraper, tandis que les trois Sadler débattaient fébrilement de la tactique à adopter.

Tout à coup, la nuit se fit plus sombre, comme si quelqu'un avait voilé les lumières. Je levai les yeux pour chercher la lune, et m'aperçus qu'elle avait disparu derrière de gros nuages.

Une goutte de pluie me tomba sur l'épaule, puis une autre sur la tête. Le vent augmentait au fur et à mesure que nous nous rapprochions de l'océan.

— Tu es devenue folle, ou quoi? chuchotai-je à ma sœur. Comment as-tu pu accepter?

— Il faut résoudre ce mystère une fois pour toutes, répliqua Suzanne en levant les yeux vers la grotte qui nous narguait dans le noir.

Il n'y avait plus aucune lumière. Aucun signe

non plus du vieux fantôme.

— Arrête! Nous ne sommes pas dans un de tes films! ripostai-je avec colère. C'est la vie réelle! Nous courons un terrible danger!

— C'est peut-être déjà fait, répondit ma sœur d'un ton énigmatique.

Elle ajouta quelque chose, mais le vent emporta ses paroles. Les gouttes de pluie commençaient à tomber, larges et lourdes.

— Ça suffit, Suzanne, déclarai-je d'un ton impérieux. Faisons demi-tour. Disons-leur que nous avons changé d'avis.

Elle secoua la tête. J'insistai :

— Retournons au moins à la maison pour avertir Brad et Agatha! Nous attraperons ce fantôme demain. Dans la journée, peut-être...

Suzanne marchait toujours. Elle accéléra son allure.

— Nous devons résoudre ce mystère, Jerry, répéta-t-elle. Ces deux nouvelles tombes m'ont épouvantée. Il faut que je sache la vérité.

— Mais, Suzanne... la vérité, c'est que nous risquons de mourir!

Elle ne sembla pas m'avoir entendu. Le vent déchaîné faisait tourbillonner la pluie autour de nous.

Enfin, nous arrivâmes au pied des rochers. La grotte nous dominait, toujours plongée dans l'obscurité.

— Nous allons vous attendre ici, dit Sam, qui nous avait rejoints.

Il ne quittait pas la caverne des yeux. De toute évidence, il était mort de peur.

— Cette fois, nous nous débrouillerons mieux pour distraire le fantôme s'il sort de son trou, ajouta-t-il.

— Il n'a pas intérêt à se montrer, marmonnai-je, baissant la tête pour me protéger de la pluie.

Un éclair déchiqueta le ciel. Je frissonnai.

— Venez avec nous, dit Suzanne. Vous ne pouvez pas nous aider d'ici.

Ils reculèrent. La terreur déformait leurs traits.

— Venez jusqu'à l'entrée de la grotte, répéta Suzanne. Vous pourrez toujours redescendre en courant si le fantôme apparaît.

Louisa secoua la tête.

— Non! Nous avons trop peur, avoua-t-elle.

— Nous avons besoin de votre aide, insista ma sœur. Il ne faut pas qu'il sache que nous sommes au-dessus de la grotte. Montez jusqu'à la plate-forme, et une fois là-haut...

— Non! Il va nous faire du mal! Il va nous manger! cria Nic.

— Eh bien, tant pis! déclara Suzanne avec fermeté. Jerry et moi, nous n'allons monter que si vous venez avec nous.

Louisa et Sam échangèrent des regards effrayés. Nic se cramponnait à sa sœur, tremblant. La pluie était devenue cinglante.

— D'accord, acquiesça enfin Sam. Nous vous attendrons devant l'entrée.

— Nous ne faisons pas semblant. Nous le craignons vraiment, ajouta Louisa. Il nous fait peur depuis si longtemps. Il... il...

Elle se tut. Suzanne commença à grimper, et je l'imitai. C'était beaucoup plus dur, cette fois. La lumière de la lune nous manquait, la pluie me coulait dans les yeux, les rochers étaient mouillés et glissants.

Je tombai deux fois, m'éraflai les genoux et les coudes. Un autre éclair déchira le ciel, illuminant la grotte au-dessus de nous. Notre petit groupe s'arrêta devant l'entrée. Je tremblais des pieds à la tête. À cause de la pluie, à cause du froid, à cause de la peur.

— Entrons nous abriter un instant, suggéra Suzanne.

Les trois Sadler se serrèrent les uns contre les autres.

— Non, c'est impossible. Nous avons trop peur, répondit Louisa.

— Juste une seconde, insista Suzanne. Le temps de nous essuyer un peu. Regardez... Il fait noir : il doit être dans le fond de la salle.

Elle poussa énergiquement Louisa et ses frères dans la caverne. Nic se mit à crier. Il s'accrochait toujours à sa sœur.

Un grondement de tonnerre nous fit sursauter.

« C'est bien la pire des bêtises que j'ai jamais faites, pensai-je, tremblant. Je ne le pardonnerai jamais à Suzanne. Jamais. »

À peine avions-nous fait quelques pas que, soudain, une lumière jaune surgit derrière nous, à l'entrée de la grotte. Dans le cercle qu'elle dessinait, on pouvait voir le vieux fantôme dont l'image semblait clignoter. Il portait une torche, et un étrange sourire se dessinait sur son visage blafard.

— Eh bien, eh bien... fit-il d'une voix juste assez haute pour qu'on l'entende malgré la pluie. Nous voilà enfin tous réunis...

26

— Noooon!

Nic lâcha un gémissement terrifié et chercha à enfouir sa tête dans le t-shirt trempé de sa sœur. Sam et Louisa se figèrent comme des statues.

La flamme vacillante de la torche révélait l'horreur qui s'était peinte sur leur visage.

Harrison Sadler se tenait devant l'entrée, nous bloquant toute issue. Ses yeux noirs et perçants nous fixaient l'un après l'autre. Derrière lui, la pluie redoublait de violence.

Le fantôme concentra son attention sur Suzanne et moi.

— Vous m'avez donc amené les fantômes, dit-il.

— C'est vous qui êtes le fantôme! riposta vivement Sam.

Nic pleurait, les bras serrés autour de la taille de Louisa.

— Vous avez terrifié les gens assez longtemps, déclara le vieil homme à nos amis effrayés. Depuis plus de trois cents ans. Il est temps pour vous de quitter définitivement cette terre et de vous reposer.

— Il est fou! cria Louisa.

— Ne l'écoutez pas! Ne le laissez pas vous tromper, ajouta Sam avec émotion. Regardez-le! Regardez ses yeux! Regardez où il vit, tout seul dans cette caverne! C'est lui, le fantôme de trois cents ans. Il ment!

— Ne nous faites pas de mal, pleurnicha Nic, toujours collé à Louisa. S'il vous plaît, ne nous faites pas de mal!

Soudain, la pluie s'arrêta. Dehors, l'eau cessa de crépiter sur les rochers. Seules quelques gouttes dégoulinaient encore du haut de la grotte. Le tonnerre grondait, mais il était plus lointain. L'orage s'en allait vers le large.

Je me retournai et observai sur le visage de ma sœur une expression étonnante : elle souriait.

Elle surprit mon regard posé sur elle.

— La solution... me souffla-t-elle.

C'est seulement là que je compris pourquoi elle avait accepté de revenir dans cette grotte terrifiante et de se retrouver à nouveau devant

ce sinistre bonhomme. Suzanne voulait résoudre
l'énigme. Elle avait besoin de savoir la vérité.

Qui était le fantôme? Était-ce Harrison
Sadler? Ou bien nos trois amis?

« Ma sœur est folle », pensai-je en secouant
la tête. Elle avait mis notre vie en péril pour
le plaisir de résoudre un mystère.

— Laissez-nous partir, dit Sam au vieillard,
interrompant le cours de mes pensées. Laissez-
nous partir et nous ne dirons à personne que
nous vous avons vu.

La flamme de la torche diminua soudain,
soufflée par une bourrasque de vent qui s'était
introduite dans la caverne.

Les yeux de Harrison semblèrent devenir plus
noirs.

— Oh, non! J'ai trop attendu pour vous avoir
ici, répondit-il d'un ton déterminé.

Louisa tendit la main vers Suzanne.

— Aidez-nous! cria-t-elle. Vous nous croyez,
n'est-ce pas?

— Vous savez bien que nous sommes vivants,
que nous ne sommes pas des fantômes, insista
Sam, qui me regardait, implorant. Aidez-nous
à le fuir. Il est diabolique, Jerry. Nous avons
eu à subir son œuvre maléfique toute notre vie.

Je ne comprenais rien.

Je regardai Harrison, puis les trois enfants.

Qui disait la vérité? Qui était vivant? Qui était mort depuis plus de trois cents ans?

Le visage de Harrison planait, lugubre, dans la lumière de la torche malmenée par le vent. De sa main libre, il écarta les longues mèches de son front. Puis il pinça ses lèvres sèches et en émit un long sifflement très aigu.

Mon cœur manqua un battement. J'étouffai un cri. Que faisait-il? Pourquoi sifflait-il ainsi?

Il s'arrêta, puis recommença.

J'entendis un bruit de course résonnant sur le sol de la grotte... Et soudain une silhouette basse et sombre surgit de l'obscurité et se dirigea vers nous en grognant.

27

« Un monstre! pensai-je. Un monstre-fantôme. »
Tandis qu'elle s'approchait, la bête faisait
entendre un grondement sourd et menaçant.
Elle gardait la tête basse, et lorsqu'elle bondit
dans le cercle illuminé par la torche, ses yeux
rouges parurent prendre feu.

Au même instant, je vis qu'il s'agissait d'un
chien. Un berger allemand long et efflanqué. Un
« oh! » étonné s'échappa de mes lèvres.

Le chien s'arrêta devant nous, puis se tourna
vers Harrison et découvrit ses crocs en grognant
de plus belle. À présent, il semblait féroce.

Je me souvins alors de ce que l'on m'avait dit :
les chiens reconnaissent les fantômes.

Les chiens reconnaissent les fantômes.

Le berger allemand se tourna vers Louisa et
ses frères, et ses yeux rouges s'enflammèrent
de nouveau. Puis il recula, tassé sur ses pattes

arrière, et se mit à hurler et à aboyer.

— Vous voyez! s'écria Harrison Sadler d'un ton triomphant, tandis qu'il désignait du doigt les trois enfants. Les fantômes, ce sont eux!

À ce moment, le grand chien bondit sur Sam. Dans un cri de terreur, le garçon leva les bras pour se protéger et partit en courant vers le fond de la grotte, suivi de Louisa et Nic. Le chien continua d'aboyer rageusement, montrant ses crocs.

— Vous... vous êtes vraiment des fantômes? m'écriai-je.

Louisa lâcha un soupir douloureux et se mit à pleurer.

— Nous n'avons jamais eu l'occasion de vivre! gémit-elle. Ce premier hiver a été tellement abominable...

Des larmes roulaient sur ses joues. Nic pleurait aussi. Le chien continuait à manifester sa fureur. Les trois enfants reculèrent encore dans l'obscurité.

— Nous sommes arrivés ici en bateau, avec nos parents, dit Sam d'une voix tremblante. C'était pour commencer une nouvelle vie, mais nous sommes tous morts de froid. Ce n'était pas juste. Ce n'était vraiment pas juste!

La pluie recommençait à tomber. Le vent poussait des gerbes d'eau dans l'entrée de la grotte. La flamme de la torche vacilla et faillit s'éteindre.

— Nous n'avons jamais pu vivre! répéta Louisa.

Le tonnerre grondait et résonnait dans toute la caverne. Le chien manifestait sa colère de plus belle. Soudain, je vis les trois enfants se transformer.

Ce furent d'abord leurs cheveux qui tombèrent par poignées, jonchant le sol de la grotte.

Puis leur peau se détacha par lambeaux, et bientôt, ce furent trois crânes de squelettes au sourire hideux qui nous fixaient de leurs orbites vides.

— Venez avec nous, cousins! murmura le crâne de Louisa.

Elle tendit vers nous ses doigts osseux.

— Oui, venez nous rejoindre! renchérit Sam d'une voix sifflante, tandis que ses mâchoires s'ouvraient et se refermaient. Nous vous avons creusé de sssssi jolies tombes, vous sssserez des nôtres!

— Restez et jouez avec moi! insista Nic. Je ne veux pas que vous partiez, jamais!

Les trois fantômes avancèrent vers nous, menaçants, leurs mains de squelettes tendues dans notre direction.

Je vis encore qu'Harrison, terrifié, reculait lui aussi, puis la torche s'éteignit.

28

L'obscurité totale m'arracha un nouveau cri. Autour de moi, je sentais des corps qui bougeaient, j'entendais des pieds qui traînaient sur le sol humide de la grotte. Et j'entendais aussi les murmures plaintifs des trois fantômes.

— Ssssoyez des nôtres... Veeeenez...

Ils se rapprochaient, se rapprochaient de plus en plus.

Tout à coup, une main glacée agrippa la mienne. Je poussai un hurlement. Une voix me chuchota :

— Jerry, courons!

Je compris que c'était Suzanne!

Avant que j'aie pu reprendre mes esprits, ma sœur me tirait déjà hors de la grotte obscure. Nous nous retrouvâmes sous la pluie battante. Des éclairs zébraient le ciel.

— Cours! Cours! répéta ma sœur, le regard

affolé, sa main tenant toujours la mienne. Cours!
Cours!

C'était comme une espèce de chant désespéré.

— Cours! Cours!

Mais tandis que nous nous démenions dans
le noir pour descendre à travers les rochers,
le grondement du tonnerre couvrit la voix
de Suzanne.

Le sol trembla. Mes jambes fléchirent. Et
soudain, je me rendis compte que ce n'était pas
le tonnerre qui avait grondé; à demi aveuglé par
la pluie, je me retournai et vis les rochers qui
s'écroulaient depuis le sommet de la grotte.

Le vent et la pluie avaient dû les ébranler
et maintenant, des blocs entiers de pierre
tombaient, se heurtant les uns les autres,
rebondissant et roulant. Roc après roc, ils
s'entassaient devant la grotte jusqu'à ce que
l'entrée soit définitivement bouchée.

Personne ne pouvait plus sortir, ni les enfants-
fantômes, ni le vieillard.

Harrison Sadler avait donné sa vie pour
capturer les petits revenants.

Un éclair illumina la grotte, qui parut toute
blanche. Suzanne ne bougeait pas. Cette fois,
ce fut moi qui l'entraînai.

— Allons-y, dis-je d'un ton suppliant.

Mais elle restait immobile. Elle contemplait la grotte à travers les gouttes de pluie.

— Suzanne, je t'en prie! insistai-je en tirant sur sa main. Partons, c'est fini, maintenant. Le mystère est résolu. Nous n'avons plus à avoir peur.

29

Quelques minutes plus tard, Agatha ouvrit brusquement la porte d'entrée de la maison et se précipita à notre rencontre.

— Où étiez-vous? s'écria-t-elle. Brad et moi étions malades d'inquiétude!

Elle nous fit entrer en hochant la tête, visiblement soulagée de nous voir sains et saufs. Puis elle nous ordonna d'aller nous sécher et nous changer.

Le temps de rejoindre nos vieux cousins dans la cuisine pour y boire un bouillon brûlant, la pluie s'était arrêtée. Mais je pouvais voir par la fenêtre que le vent soufflait toujours; il secouait les arbres en faisant tomber l'eau restée sur les feuilles.

— Et maintenant, dites-nous ce qui vous est arrivé, dit Brad. Agatha et moi étions si angoissés de vous savoir dehors dans cette tempête.

— C'est une longue histoire, déclarai-je en me réchauffant les mains sur ma tasse. Je ne sais pas par où commencer.

— Par le commencement, dit Brad tranquillement. En général, c'est le plus simple.

Aidé de Suzanne, je fis de mon mieux pour tout leur raconter, depuis les trois enfants-fantômes jusqu'au vieillard, en passant par la terrifiante grotte. Tandis que nous parlions, je me rendis compte que leur expression changeait peu à peu.

Au début, je vis combien ils étaient soucieux, puis ils devinrent mécontents d'apprendre que nous avions négligé leurs avertissements et que nous étions entrés dans la grotte.

Je terminai mon récit. Un silence pesant s'installa dans la pièce. Brad, le visage tourné vers la fenêtre, contemplait les dernières gouttes de pluie qui ruisselaient sur les vitres. Agatha se racla la gorge, mais ne dit rien.

— Nous sommes vraiment désolés, s'excusa Suzanne, rompant le silence. J'espère que vous ne nous en voulez pas trop...

— Ce qui compte, c'est que vous soyez sains et saufs, déclara Agatha.

Elle se leva, s'avança vers ma sœur et la serra contre elle. Au moment où elle s'approchait de moi, les bras ouverts, un bruit qui provenait du dehors la fit s'arrêter. On entendait des aboiements. De forts aboiements de chien.

Suzanne se rua sur la porte du jardin et l'ouvrit.

— Jerry, regarde! s'exclama-t-elle. C'est le chien de Harrison Sadler! Il a dû sortir de la grotte avant l'éboulement et il nous a suivis jusqu'ici.

J'allai la rejoindre sur le seuil. Le chien était trempé, sa fourrure grise était plaquée sur son dos. Nous l'appelâmes doucement. À notre grande surprise, il recula en grondant. Je tentai de le calmer.

— Sage, le chien! Tu as dû avoir peur, hein?

Mais il continuait à gronder, puis il se remit à aboyer. Suzanne se baissa et essaya de l'apaiser à son tour. Il recula de nouveau, aboyant, cette fois, avec fureur.

— Eh bien! m'écriai-je. Je suis ton ami, voyons! Tu ne te souviens pas de moi? Je ne suis pas un fantôme!

Suzanne se tourna vers moi, perplexe.

— Tu as raison, nous ne sommes pas des fantômes. Alors pourquoi se comporte-t-il ainsi?

Je haussai les épaules.

— Tout doux, mon vieux. Tout doux.

Le chien m'ignora. Comme je me retournais, j'aperçus Brad et Agatha qui se plaquaient contre le mur de la cuisine, le visage crispé par la peur.

— Ce sont juste Brad et Agatha, dis-je à l'animal. Ils sont gentils, ils ne te feront pas de mal.

Et soudain ma gorge se noua. Je venais de comprendre pourquoi le chien aboyait ainsi. Il en voulait à Brad et Agatha.

Agatha gagna le seuil et agita un doigt menaçant en direction de l'animal.

— Méchant chien! cria-t-elle. Méchant chien! Il a fallu que tu révèles aussi notre secret!

Suzanne hurla. À son tour, elle venait de comprendre.

Agatha nous ramena dans la cuisine en nous tirant par le collet. Puis elle claqua la porte et tira le verrou avant de se tourner vers son mari.

— Quel dommage que ce chien nous ait trahis, soupira-t-elle en hochant de la tête. Qu'allons-nous faire de ces enfants maintenant, Brad? Qu'allons-nous faire d'eux?